KB137608

연기자의 워크북

연기자의 워크북
Actor's Workbook

작품분석과 인물형상화
Text Analysis and Creating Characters

이은지 지음

도서출판 **동인**

작가의 서문

연극, 뮤지컬, 방송, 영화 및 다양한 플랫폼을 겨냥한 콘텐츠들이 쏟아져 나오고 있는 지금 우리는 '연기자'라는 직업을 가진 사람들을 주위에서 흔히 만나볼 수 있다. 그만큼 다양한 문화예술산업 분야에 연기자들의 활동영역은 점점 더 확장되고 있으며 작업의 체계화 및 전문화 또한 이루어지고 있다고 볼 수 있을 것이다. '연기자'라는 이 매력적인 직업은 많은 사람들의 사랑과 관심을 받는 만큼 인물을 형상화하는 과정에 여러 단계의 세부적 리서치를 통한 연구와 실험이 요구된다. 하나의 작품이 완성되어 대중을 만나게 되는 시점에 이르렀을 때 대중의 냉철한 판단을 가장 직접적으로 마주하게 되는 것이 연기자이기 때문이다. 연기자는 작품을 완성시키기 위해 밤잠을 설치며 함께 고민하고 작업했던 모든 이들의 땀방울이 한데 어우러져 대중을 만나게 되는 마지막 단계의 최전선에 서게 되는 특권을 가진 만큼 책임감을 가지고 작업에 임해야 한다.

연기자의 작업은 작가, 연출, 그리고 각 분야의 디자이너 및 스태프 등 많은 사람들의 연구과 상상력의 결과물에 연기적 요소를 더해 '말과 행동' 그리고/혹은 '노래와 춤'으로 구현해내는 것이라 말할 수 있다. 이처럼 많은 사람의 땀방울로 완성되는 극화작업의 초반에서부터 연기자의 고유영역인 인물형상화까지의 단계에 논리적 분석과 효율적 스토리텔링은 필수적인 것이며 논리에 기반을 둔 연기자의 상상력은 진정한 가치를 가지게 된다. 물론 논리만으로 연기를 할 수는 없다. 상상력이라는 것이 예술창작 작업을 차별화하는 가장 중요한 요소라고 해도 과언은 아닐 것이다.

그런데 문제는 그 누구도 자신의 상상을 정확하게 묘사하거나 다른 형식의 명확한 결과물로 보여줄 수 없다는 것이다. 상상이라는 게 계속 변화하기 때문에 그런 것일 수도 있고 명확한 형상을 가지고 있는 것이 아니라서 그런 것일 수도 있다. 극의 형상화에 있어서 인물에 대한 기대라는 게 아마도 그런류의 것들 중에 하나일 것이다. 그래서 우린 연기자들의 작업에 더 많은 기대를 하고 결과에 환호하거나 실망하는 게 아닐까? 그만큼 많은 부담을 어깨에 지고 있는 연기자들의 작업은 평생을 연구해도 정의 내릴 수 없는 끝나지 않는 고뇌의 형상화 일지도 모른다. 어쩌면 그렇기 때문에 우리는 정답 찾기를 멈춰야 하는지도 모른다. 정답은 존재하지 않으므로. 하지만 다시 생각해보면 우리는 그보다 더 훌륭한 능력을 가진 사람들이다. 다른 사람들의 상상을 정확히 구현해내는 것은 불가능하지만 그것을 능가하거나 다른 방식으로 자극하는 것은 가능하기 때문이다. 작업의 기반을 잘 이해하고 응용하여 나만의 상상력을 더했을 때 배우들은 그 누구도 상상하지 못했던 결과물을 선물하지 않는가?

나는 이 책을 통해 능동적 창작자로써 연기자에게 필요한 기본작업

요소들을 그 필요성과 기능에 따라 구분하여 이야기하고 인물구현의 특성 및 형상화 방향 및 방법을 연기자의 작업 순서대로 짚어가면서 제시하고자 한다. 작가와 시대를 이해한다는 것과 주제를 도출한다는 것이 무엇인가에 대해 포괄적으로 접근하여 좀 더 명확한 이해를 돕기 위해 사실주의 기반의 대표적인 연극작품 '인형의 집'을 예로 들어 설명하지만 이는 사실주의 극에만 적용되는 연기자의 인물형상화 과정이 아니며 작품의 장르나 구현방식과 무관하게 공통적으로 적용될 수 있는 기본적인 분석과 형상화 방법에 대한 기초 작업임을 분명히 하고 싶다. 작품의 배경을 이해하고 작품이 가지고 있는 구조를 파악하는 것에서 시작하여 중추행동을 발견하여 작가의 작품의도를 전달하는 창의적 장치들을 활용하여 인물을 형상화하는 작업은 어떠한 유형의 작품에서 활동하는 연기자에게도 필수적인 부분이기 때문이다. 작품분석을 충분히 진행해도 어떻게 인물형상화와 연결지어 표현해야 하는지 난감해 하는 배우지망생들에게 이 책에서 제안하는 작품분석과 인물형상화 방식이 도움이 되길 바란다.

2021년 12월

이은지

차례

1 장

작품의 이해

1. 작가의 작품세계

사회적 배경과 개인의 역사는 작품에 어떻게 반영되는가?

작품의 이해는 해당 작가의 작품세계를 이해하는 것에서 출발한다. 작가의 상상력의 근원지를 찾아가보는 작업이라고 할 수도 있을 것이다. 우리는 작가의 인생을 살펴보고 그 시대의 사회적·정치적 현상을 살펴볼 필요가 있다. 작가의 시각으로 바라본 세계를 이해하고 시대 흐름을 파악하는 것은 작가의 작품의도를 파악하는데 우선적으로 진행되어야 하는 작품분석의 첫 번째 단계라 할 수 있다. 작가들은 그들이 살았던 시대의 사회상과 이념 혹은 개인의 경험에서 오는 삶에 대한 견해 등을 다양한 방식으로 작품에 담아낸다. 예술가의 시대반영은 우리에게는 아주 당연한 것으로 받아들여지며 그것은 곧 예술가의 사명이기도 하다. 동시대를 살아가는 예술가들은 우리의 삶 속에 묻어 있는 사회적·문화적·정치적·종교적 특성 등을 다양한 방법으로 작품 창작에 담아내고 더 나아가서는 시대의식 고취라는 예술의 사회적 기능을 이루어내는 것이다. 물론 모든 예술가들이 이러한 사명감을 가지고 작업한다는 말은 아니다. 하지만 결국 우리가 살아가는 사회 속에서 상상력이 자극되어 예술가들의 창작활동이 시작되는 것이 아닌가? 그렇기 때문에 예술창작 작업에서 작가의 상상력을 구체화하여 무대 위 인물로 형상화해야 하는 막중한 임무를 가진 연기예술가들이 이해해야 하는 작가의 시대상과 작품세계는 보다 구체적이어야 하며 명확한 방향성을 제시하는 것이라야 한다.

예를 들어 러시아 태생의 사실주의의 대표적 극작가 안톤 체홉의 작품을 이해하기 위해서는 그가 살았던 시대의 사회현상을 짚고 넘어가지 않을 수가 없다. 체홉[1]은 1860년 러시아 남부의 잡화상의 아들로 태어났으며 그의 할아버지는 돈을 지불하고 자유를 찾은 농노였다. 그의 가족은 러시아 사회의 봉건주의 체계가 서서히 무너지고 있을 무렵의 경제적 사회구조적 변화를 직접 체험한 격변기의 러시아 사회 구성원인 것이다. 1876년 체홉의 16세밖에 되지 않았던 그 때 그의 아버지는 파산하게 되고 그는 가족의 생계를 책임지게 된다. 홀로 고향에 남아 가족의 집을 정리하고 학업을 마무리했던 체홉은 '벚꽃동산'의 로파힌과 같이 그의 집을 대가로 빚을 청산하게끔 해준 셀리바노프와 3년 동안 생활하게 된다. 러시아 사회의 경제구조 변화와 함께 사회적 격변의 시대에 살았던 체홉은 가장 예민할 수밖에 없었던 청소년기에 직접 사회경제 구조의 변화와 계층의 세분화를 경험한 것이다. 그러한 그의 삶을 들여다보면 그가 사회의 계층과 도시화 등에 개인의 경험을 담을 수밖에 없으며 봉건체제의 붕괴 속에 혼란을 겪은 러시아인들이 경험한 실질적인 변화와 혼란에 민감할 수밖에 없다는 것을 알 수 있을 것이다.

1861년 농노해방[1]을 계기로 러시아의 공업화는 본격적으로 이루어졌고 러시아사회는 급격하게 변화하였다. 19세기 후반부터 20세기 초, 체홉이 살았던 시대의 러시아와 산업혁명이 불러일으킨 도시화 그리고 부르주아지[2]라 불리는 신흥귀족을 이해하지 않는다면 체홉의 작품들을 이해하고 연기해낼 수 없는 것이다. 그들의 삶을 표현하려면 그들의 삶과 그들이 사회구성원으로써 가지고 있었던 견해를 이해해야 하는 것은 당연한 것이기 때문이다. 한 사회의 정치적, 경제적, 문화적 흐름은 모두 연관되어 있다. 하나의 요소가 독립적으로 분리되어 발전할 수 없으며 그 사회의 구성원들은 변화에 따르는 충격에 그대로 노출되어 있는 것이다. 부르주아지는 훗날 경제력으로 귀족신분을 사게 되는 유럽의 주요 사회계층으로 성장한다. 경제력과 신분의 상관관계가 만들어지는 것이다. 체홉은 사회경제구조의 변화에 따른 사회계층의 변화와 그들의 요구 그리고 사회적 혼란을 사실적으로

1. 1861년 러시아 농노해방: 농노해방령의 공표와 함께 오랜 진통을 앓던 러시아 사회는 봉건제도의 붕괴로 귀족계급의 몰락과 부르주아지 그룹의 확장세를 맞이한다. 이를 계기로 제도의 근대화 및 사본주의 사회체제를 구축해가기 시작한다.
2. 부르주아지: 11세기 중세 프랑스에서부터 어원을 찾을 수 있는 부르주아는 영주의 성곽 안에서 살며 생활하던 상공인계층을 일컫는 말이었으나 프랑스 혁명이 후 부르주아지의 부를 사용해 귀족층에 다수 합류함으로 화려하고 귀족적 이미지가 더해져 오늘 우리가 알고 있는 '부르주아'라는 말로 상용되고 있다.

묘사함으로 동시대의 삶을 풍자하고 의식의 변화를 촉구했다. 체홉의 작품들이 사실주의의 태동이라 불리는 이유도 거기에 있을 것이다.

앞서 언급되었던 '벚꽃동산'[2)]이라는 작품의 예를 들어보자. '벚꽃동산'은 라네프스카야와 그녀의 가족들이 소유하고 있는 영지인 벚나무 동산이 매각 위기에 처하게 되면서 라네프스카야의 가족들과 주변인들이 겪게 되는 이야기를 담고 있다. 체홉은 이 작품을 통해 경제구조의 변화에 따른 계층의 세분화가 개인의 삶에 어떻게 영향을 끼치는지를 보여주고 있으며 이를 통해 19세기 후반 러시아사회의 단면을 보여준다. 이야기의 전개 속에 작가 개인의 견해와 세계관이 면밀하게 반영되어 있으며 세밀한 사고의 과정과 관점의 노출을 통해 문제를 직면하게 한다. 라네프스카야는 현실감각이 없는 귀족이다. 농노들의 노동은 당연한 것이며 농장의 운영과 유지를 위해 필요한 경제관념은 없다. 운영난으로 경매에 넘어가게 되는 벚나무 동산을 걱정하지만 현실적인 방법을 고안해내지도 제안을 받아들이지도 않는다. 반면, 열심히 일하고 절약하여 부를 축적한 로파힌은 그의 노력의 대가로 쌓인 부에도 불구하고 농노라는 인식을 버리지 못하고 귀족신분의 상징으로서의 벚나무 동산을 동경한다. 그는 결국 현실적 문제해결 방법을 찾지 못하는 라네프스카야의 가족에 의해 경매에 붙여지게 되는 벚나무 동산을 매입한다. 벚나무 동산의 취득은 로파힌에게 부동산의 매입과 경제력의 증빙 그리고 예상되는 부의 축적 이상의 의미를 갖는다. 이는 로파힌이 벚나무 동산과 함께 얻게 되는 신분을 상징하는 것이다. 이처럼 체홉은 한 귀족의 별장과 그 부지가 매각되는 과정을 통해 러시아 사회구조의 변화에 주도적 역할을 했던 부르주아지와 변화의 움직임에 적응하지 못했던 귀족계층을 그대로 보여준다. 체홉의 연극이 가지고 있는 허무주의와 비관주의 그리고 소통의 오류가 상징하는 계층 간의 괴리에 대해 이해하고 주제를 도출하는 과정에 있어 그들의 사회와 성별, 직업, 나이, 사회계층에 따라 부여되는 세계관을 이해하는 것은 필수적이다. 인물의 세계관은 곧 사고방식의 방향을 제안하는 것으로 세계관은 인물의 배경이 되는 생물학적, 지리적, 사회적 환경에 의해 만들어 진다. 도출된 인물의 세계관은 인물의 가치관이며 세상을 바라보는 눈으로 인물형상화 작업에 반영되어야 하기 때문이다. 작품의 사회적 배경과 작가의 의도를 이해하는 것은 연기자의 인물형상화 작업의 시작 단계인 기본 신체화 작업에 아주 큰 영향을 끼친다. 결국은 인물이 세상을 바라보는 기준과 눈을 보여주는 신체를 반영하는 신체화 기본요소 도출의 기초 작업이기 때문이다.

사회적 배경에 따른 작가의 작품세계와 무관할 수는 없으나 작가의 성장배경과 개인의 역사가 작가의 작품세계에 좀 더 중점적이며 직접적으로 다루어지는 경우도 있다. 유진오닐[3)]은 1988년 미국 뉴욕의 중심가의 한 호텔(The Barrett House)에서 태어났다. 유랑극단의 배우였던 아버지 제임스 오닐(James O'Neill)과 어머니 메리 엘렌 퀸란(Mary Ellen Quinlan) 사이에서 셋째 아들로 태어난 그는 알코올 중독자인 아버지와 유진 오닐의 낳으면서 고통을 절감시키기 위해 처방된 모르핀에 중독된 어머니 사이에서 불우한 어린 시절을 보냈으며 폭력적인 기질을 보이기도 했다. 그의 결혼생활과 여성관도 그의 어린 시절과 환경에 많은 영향을 받았다. 그의 작품들은 자서전적인 것들이 많으며 그의 작품 속 인물들은 그가 가진 가난과 건강하지 않은 가족관계에 대한 환멸을 보여준다. 1939년, 50세의 나이에 유진 오닐은 퇴행성 질환으로 인해 생긴 손의 마비 증세에도 불구하고 그의 대표작 『밤으로의 긴 여로(*A Long Journey Into Night*)』[4]를 집필한다. 자서전적인 작품으로 잘 알려진 『밤으로의 긴 여로』를 보면 우리는 그의 삶을 거의 그대로 엿볼 수 있다. 자린고비 아일랜드 이민자 출신이자 배우인 아버지, 마약중독자인 어머니, 배우가 되고자 하지만 불성실하고 술과 여자에 빠져 인생을 허비하는 형, 결핵으로 하루하루를 근근이 버텨가는 시인인 동생 등으로 구성된 등장인물들은 각자가 갇혀있는 삶의 굴레 속에서 고뇌하고 탈출구를 모색하지만 결국 서로에 대한 진정한 이해와 화합은 이루어지지 않는다. 서로에 대한 실망감과 가족이 처한 현실을 그대로 받아들이지 못하는 이들은 존중과 수용보다는 서로를 탓하고 서로를 향한 비난과 질투로 관계를 악화시키며 그들의 불행에 대한 책임을 묻는다. 절망적인 삶의 현주소가 여과 없이 보여 지는 것이다. 작품에서 유진 오닐은 각자의 입장에서 한 발짝도 양보하지 못하고 서로를 향해 비난을 퍼붓는 인물들을 그려내지만 그들은 각자의 위치에서 최선을 다해 소통하고자 한다는 것을 볼 수 있다. 환멸 가득한 대화가 오가는 사이에도 그들이 진정으로 원하는 것은 비난과 질책보다는 서로에 대한 애정과 응원 그리고 수용과 이해이기 때문이다. 하지만 그들의 입장 차이는 도무지 좁혀지지 않는다.

유진 오닐은 그의 삶에 빗대어 작품을 써내려간 것이다. 객관적 시선 앞에 놓인 그의 작품은 이야기의 흐름만으로도 현대인의 자화상이 되기에 충분하다. 한 발짝 떨어져서 관찰하면 바로 알아볼 수 있는 문제의 해결방법을 각자의 삶의 고통에 갇혀 찾지 못하는 인물들을 그대로 담아냈기 때문이다. 그의 인생을 알고 견해를 이해한다면 작품 속 인물들의 삶과 그들의 세계관을 보다 명확하게 이해할 수 있는 것이다.

이러한 작품에서 주의해야 할 것은 배우는 작가의 시선을 이해하고 인물을 움직이게 하는 원동력을 찾아 능동적으로 연기해야 한다는 것이다. 연기자가 주어진 환경을 연기해서는 안 되기 때문이다. 연기자는 그 환경 속에서 밸런스를 찾고자하는 몸부림과 투쟁을 연기해야 하는 것이다. 그의 가족이 그랬던 것처럼 그들은 서로에게 이해받고 인정받길 원하지만 서로를 이해할 수도 인정할 수도 없다. 포기하고 영원히 떠날 수도 없다. 가족이기 때문이다. 이러한 리서치는 단순한 정보의 수집에 그쳐서는 안 된다. 객관적으로 나와 있는 작가의 작품세계에 대한 정보는 그의 작품을 이해하고 작품의 주제 그리고 등장인물들이 상징하는 바를 도출하는데 활용되어야 한다. 인물을 무대위 혹은 카메라 앞에 형상화하고자 한다면 그들이 원하는 것을 얻기위해 어떻게 몸부림치는 가를 찾아서 행동으로 표현해야 하며 그 삶의 원동력은 장애물이 많을수록 거친 몸부림을 친다는 것을 잊어서는 안 되는 것이다. 그것이 인물을 움직이는 원동력이며 인물형상화 작업의 가장 중요한 뼈대를 형성하기 때문이다.

이렇게 작가들의 시대적 배경과 개인의 역사를 이해하면 그들의 작품세계를 이해할 수 있다. 우리는 흔히 이러한 작가들의 작품세계를 사조와 연결 지어 생각한다. 연극의 역사적 흐름과 함께 낭만주의, 사실주의, 자연주의, 상징주의 등의 사조는 연극을 극작가의 작품세계와 시대적 흐름 혹은 연출의 구현방식이 갖는 특징으로 구분지어 각각의 형식을 정의 내어 설명한다. 이러한 사조들은 명확한 형식을 전제로 발전한 것들도 있고 훗날 학자들에 의해 정의 내려진 것들도 있다. 21세기를 살아가는 예술가들에게 있어 이러한 사조는 그 특징을 알고 잘 활용해야 하는 학술적 자료이지 반드시 따라야 하는 규칙은 아니다. 작가와 사조를 필수불가결한 관계로 보는 것은 차세대 창작자로써 위험한 부분이 있다. 사조라는 형식에 얽매여 한정된 구현방식의 틀에 갇혀서는 안 되기 때문이다. 이미 사조 간의 벽은 허물어진지 오래고 더 이상 창작 작품을 특정사조로 정의 내려 구분하지 않는다. 다만 본인은 각 사조의 특징을 알고 응용하여 창작함으로 다양한 실험을 할 수 있다고 생각한다. 재료의 특징을 잘 이해하여 구비하고 거기에 실험과 도전이 가미된 샐러드와 재료의 특징을 고려하지 않고 충동적으로 만들어진 샐러드의 차이라고 말할 수 있을 것이다. 물론 우연히 맛있는 샐러드가 만들어질 확률에 기대를 걸어 볼 수도 있다. 그러나 원작의 의도에서 벗어나 새로운 해석을 내놓는 것 또한 충분한 이해에서 비롯되어야 하는 것이다. 이론적 배경의 활용으로 보다 효율적이고 창의적인 상상력의 구현이 이루어질 수 있다고 믿기 때문이다. 역사의 흐름에 따라 트렌드가 만들어졌고 21세기를 살아가는 우리는 오랜 시간에 걸쳐 구축된 예술구현 양식을 정리해 놓은 구분 체계를 활용하여 작가의 상상력이 담긴 글에 나만의 이미지를 더할 수 있다. 작가의 작품세계와 형식을 연구하여 응용하는 과정에 체계를 만들어 효과적이며 독창적인 상상력의 활용으로 인물형상화 작업에 임할 수 있는 것이다.

요 약

연기자에게 있어서 작가의 작품세계와 연관된 시대적 배경을 조사하고 작가의 삶과 경험에서 묻어나는 작품 속 인생관 혹은 특정 사회현상에 대한 반응을 이해한다는 것은 인물이 가진 세계관을 확립하는 데 대한 기준을 확립하는 것이며 인물형상화 작업의 신체화 기본요소를 구성하는 기초 작업이다. 인물과 주어진 환경과의 관계를 도출하여 형상화 작업에 반영하는 것이다.

2. 작품의 시대적 배경

사건은 어떻게 시대를 대변하는가?

사회에서 일어나는 특정현상 혹은 사건이 극화되어 동시대를 살아가는 대중과 만나는 경우도 있다. 대부분의 작가들이 그들이 살았던 시대상을 직접적으로 혹은 간접적으로 담아내지만 보다 구체적인 사건을 인용해 문제제기를 하는 경우도 있다. 사회적 문제점을 하나의 사건을 재조명함으로써 직접적으로 다루어 사용한 작품의 예를 들어보자.

게오르그 뷔히너(Georg Buchner)의 『보이체크(*Woyzeck*)』[5]는 사건의 직접인용으로 작가가 바라본 동시대의 문제점을 상징적으로 극화한 예시가 되는 작품이다. 1813년 독일에서 태어난 뷔히너는 외과 의사였던 아버지의 뜻에 따라 의학 공부를 위해 1831년 슈트라스부르그(Straβburg)의 의과대학에 입학하여 학업에 임하던 중, 당시 프랑스의 영토였던 슈트라스부르그에서 혁명의 여파로 무너진 사회구성원들의 고통스러운 삶을 목격하게 된다. 하층민들의 삶을 위한 처절한 투쟁과 생존경쟁을 직접 목격하며 그의 정치적 성향은 확고해지게 되었으며 그의 작품세계까지도 영향을 받게 된 것이다. 뷔히너는 1821년 독일의 라이프치히에서 실제로 일어났던 사건에 영감을 받아 1836년 연극 '보이체크'를 쓰게 된다. 1937년 장티푸스에 걸려 24세의 젊은 나이로 세상을 떠난 뷔히너의 마지막 작품이기도 한 이 작품은 제목부터 사건의 가해자인 요한 크리스찬 보이첵(Johann Christian Woyzeck)[6)]의 이름을 직접 인용한 것이다. 작품에서 사용된 세부장면들과 인물들은 상징성과 주제 부각을 위해 창작되었으나 작품의 중추행동은 사건을 직접 인용하여 사회의 어두운 이면을 재조명하는 데 활용된다. 1821년 독일의 라이프치히라는 도시에서 가발공으로 일하다 군인이 된 요한 크리스찬 보이첵은 질투로 인해 그의 여자 친구이자 동거녀였던 크리스티안느 우스트(Christiane Woost)를 살해하고 그 죗값으로 공개처형을 당하게 된다. 뷔히너는 이 사건을 인용하여 19세기 유럽 최초의 하층민을 주인공으로 하는 작품을 쓰게 되는 것이다. 혁명의 어두운 뒷골목 하층민의 처절하리만큼 가난했던 삶 속에 인간성을 말살당하고 인간으로써 가진 기본적인 인권마저도 유린당하고 마는 19세기 초 유럽사회 속 비운의 주인공인 '보이체크'는 시대의 아픔과 부조리를 그대로 담아내고 있다.

의사들의 실험과 군의 압제를 통해 비인간화되어가는 젊은 군인을 다루는 작품, 『보이체크』의 주제를 인간의 질투에 의한 비극적결

말로 보는 경우도 있으나 사회적 배경과 뷔히너의 공상적 사회주의[3] 성향을 봤을 때 비인간화되어 가는 하층민으로 초점이 맞춰지는 경우가 많다. 이렇게 극작가의 시대를 반영하는 사건에 창의성을 더 해 상징적이면서도 구체적으로 사회문제를 재조명하고 부조리를 폭로하여 대중의 관심을 유발하고 공연예술을 통한 집단치유와 변혁까지도 불러일으킬 수 있는 것이다. 전 세계적으로 가장 많이 공연되는 작품들 중 하나로 손꼽히는 『보이체크』는 작품 속에 그대로 담겨 있는 그 시대의 처절함과 철저하게 소외당하고 잊혀버리는 자본주의 사회구조 속 하층민들의 인생과 그들이 바라보는 시대의 부조리를 담아내고자 했던 작가의 의도를 명확하게 담고 있다. 작품의 특성을 이해하고 인물의 행동에 정당성을 부여하기 위해 연기자는 정치개혁과 사회적 불평등 속에 생존자로써의 인물 보이체크에게 접근해야 한다. 연기자의 역할은 인물형상화 작업을 통해 정치적 코멘트를 하는 것도 사회 계몽운동을 하는 것도 아니다. 연기자는 작품이 작가가 의도한 기능을 효율적으로 완수할 수 있는 스토리텔링을 하는데 필요한 역할을 하는 것이다. 작품이 특성적으로 가진 정치적 · 사회적 반향과 의식개혁의 결과도출을 위해서 연기자는 스토리텔링의 요소인 인물형상화에 최선을 다해야 한다는 말이다. 연기자가 인물형상화를 훌륭하게 해낸다면 시대를 대변하는 예술가로써의 역할은 이미 수행하게 되는 것이기

---

3. 공상적 사회주의: 마르크스의 사회주의와는 다르게 과학적 논리와 체계에 기반을 둔 것이 아닌 유토피아적 사회주의를 일컫는다. 로버트 오언(Robert Owen), 생시몽(Saint-Simon), C. 푸리에 등에 의해 주장되었다.

때문이다.

시대를 대표하는 상징적인 사건을 작품 창작에 비유적으로 극화하여 담아내 극적 효과를 상승시키는 경우도 있다. 주제의 극대화 혹은 객관화를 위해 작품의 시대적 배경을 바꾸어 시대적 현상의 거울로 삼는 것이다. 아서 밀러의 1953년 작, 『시련』[7]이 그 대표적인 작품이다. 작품은 1950년에서 54년까지 4년에 걸쳐 미국의 공화당 상원위원인 조셉 매카시(Joseph McCarthy)[4]가 미국과 소련의 냉전 시대에 팽배했던 미국 내 반공사상을 정치적 이용하여 진보주의 성향의 정치, 문화예술, 사회지도층 100인의 추방을 요구했던 사건에 대한 작가의 견해를 담고 있다. 우리에게는 매카시즘[8]으로 알려져 근거 없는 고발과 무분별한 주장을 대표하는 이 사건은 미국사회를 혼란에 빠트리고 대중의 의식을 흔들어 놓았던 중요한 사건이다. 이 사건은 특히나 문화예술계에 큰 타격을 불러일으키게 된다. 할리우드 영화계의 감독들, 유명배우들과 작가들은 사회주의의 영향권에 있고 작품을 통한 사회주의 혁명을 주도했다는 의혹으로 블랙리스트에 올라 법정에서 증언을 해야 했으며 무고한 민주주의 평화주의자들조차도 마녀사냥을 피해갈 수가 없었다. 유명 극작가 베르톨트 브레히트(Bertolt Brecht) 또한 그의 무죄를 증명하기 위해 법정에서 증언을 해야 했다. 법정 출두와 증언 자체를 거부 할 수 있었던 다른 대상자들과는 달리 유일하게 외국인 신분이었던 브레히트는 그의 본국으로의 귀국이 위협당할 것을

---

4. 조셉 매카시(Joseph McCarthy), 1908-1957: 미국 공화당 상원위원으로 반공사상을 정치적으로 사용하여 정치적 사회적 파장을 일으킨 '매카시즘'의 어원이 된 정치가

걱정하여 증언대에 섰다고 전해져 당시의 참혹했던 마녀사냥과 인권 침해의 상황을 엿볼 수 있다.

> "신문에서 내가 워싱턴에서 오만하게 행동 했다는 한 기자의 기사를 봤습니다. 하지만 사실은 이렇습니다. 난 그저 나의 여섯 명의 변호사들이 조언한 대로 사실만을 말할 수밖에 없었습니다. 미국 시민이 아닌 난 당신처럼 증언을 거부할 수도 없기 때문입니다."

> —1947년 법정 증언 후 베르톨트 브레히트가 작곡가 한스 아이즐러(Hanns Eisler)에게 쓴 편지 중

아서 밀러 또한 공산주의자들의 이름을 제공하길 거부한 대가로 반미국주의자로 지명되어 여권이 취소되고 1956년 벨기에의 브뤼셀에서 공연되었던 『시련』의 초연에 참석하지 못했다. 그밖에도 우리에게 잘 알려진 배우이자 연출 찰리 채플린(Charlie Chaplin), 노벨상 수상자 알버트 아인슈타인(Albert Einstein), 극작가 릴리안 헬멘(Lilian Hellman) 등이 블랙리스트에 올랐다. 아서 밀러는 1950년에 시작되어 4년간을 지속되었던 이 사건을 겪으며 15세기 미국의 마녀사냥을 떠올리게 되고 매카시 사건의 부조리함과 군중심리의 정치적 악용을 미국 매사추세츠 세일럼의 마녀사냥을 다룬 『시련』에 담아냈다. 1692-93년 미국 매사추세츠의 세일럼에서 벌어졌던 마녀재판은 200명에 가까운 시민들이 마녀로 지목되고 그 중 30명이 유죄 판결을 받아 19명이 교수형에 처해졌던 17세기 말을 뒤흔든 집단 히스테리아 사건으로 유명하다.

아서 밀러는 리서치를 통해 그 당시의 참혹하리만큼 편협하고 끔찍했던 마녀사냥을 역사적 고증과 흡사한 형태의 극 『시련(*The Crucible*)』을 집필하게 되는 것이다. 그는 실존했던 인물들의 이름을 그대로 사용하고 극히 일부만 극적 고조를 위해 수정하였다. 실제 17세기 마녀사냥의 주동인물이었던 아비게일 윌리엄즈(Abigail Williams)의 나이를 12세에서 17세로 수정하고 존 프락터(John Proctor)의 교수형 당시 60세였던 나이를 30대 중반으로 수정하여 아비게일 윌리엄즈와 존 프락터 사이의 부적절한 관계를 추가하여 드라마의 전개와 갈등의 전개를 위한 사건의 발단으로 사용한 것, 그리고 실제로는 세일럼에 오지 않았던 부지사 토마스 덴포스를 등장시켜 갈등의 고조를 이끈 것 등이다.

작품을 이해하는데 있어서 작가의 집필의도를 파악하는 것은 매우 중요한 단계이다. 작가의 경험을 통해 관찰한 바를 작가는 대중에게 어떤 이야기를 통해 전달하고자 하는지 또 이야기의 효율적 전달을 위해서 작가는 어떤 인물들을 통해 사건과 갈등을 만들어 냈는지를 이해하기 위해서이다. 아서 밀러는 17세기의 세일럼으로 돌아가 명확하게 역사적 고증과 극적 고조를 통해 간접적이지만 극히 직접적인 방법으로 1950년 초 미국의 '집단 히스테리아'를 지탄하고 두 사건 간의 평행이론을 펼치고 있다. 반복되는 사회적 병폐에 대한 보다 강도 높은 문제제기를 하고 있는 것이다.

공연 혹은 영상물에서 이러한 작품 속 인물들을 연기해야 하는 연기자의 입장에서 이러한 인물들의 기능을 파악하기 위한 시대적 배경의 이해는 필수적이다. 작가가 살았던 시대의 배경을 그대로 사용해 그들의 삶을 투영하는 작품들이 있는가 하면 작가의 시대에 비추어 볼만한 다른 시대배경을 사용하여 극적효과를 극대화 시키는 경우도 있기 때문이다. 아서 밀러의 『시련』의 경우 연기자는 아서 밀러의 극작 동기를 이해하고 그가 어떤 이유로 세일럼의 마녀사냥을 주제로 삼아 『시련』이라는 연극작품을 집필했는지를 파악해야 하는 것이다. '집단 히스테리아'라는 키워드 없이 이 극을 정당화 할 수는 없을 것이기 때문이다. 두 시대의 공통분모를 찾아 아서 밀러의 시각에서 극대화 된 부분들을 파악하고 인물형상화 작업에 들어가야 할 것이다.

요 약

연기자의 인물형상화 작업에 중요한 요소인 작품의 방향성과 주제를 파악하기 위해 직접적 혹은 간접적으로 인용된 사건에 주목해 볼 필요가 있다. 작품에서 다루어지는 사건은 동시대 사회와 문화에 어떤 영향을 끼쳤으며 역사적으로 어떤 의미가 있는지 파악했을 때 진행 중인 작업의 동시대적 의미를 찾아 작품에 예술적 가치를 부여할 수 있기 때문이다.

3. 작품의 주제

작가는 어떤 의도로 작품을 창작하는가?

작가의 작품세계와 작품의 시대적 배경이 파악된 후에는 작품의 주제를 도출할 수 있다. 작가가 세상을 바라보는 눈을 반영하기 위해 어느 관점에서 스토리텔링을 하고 있는가를 파악하는 것이다. 작가들은 작품을 구상하게 되는 이유, 즉 집필의도를 특정 주제로 범위를 구체화하여 작품의 서술을 구상하고 인물을 만들고 사건과 장애물을 설치하는 창작 작업에 임하게 되는데 그 중심이 되는 키워드 혹은 주요 콘셉트를 도출하는 것이 바로 작품의 주제 도출 단계인 것이다. 작품의 주제를 도출하는 것은 도출된 주제 속에 갇혀 작품을 단편적으로 해석해내기 위함이 아니다. 주제 도출은 창작 집단의 제작의도에 따라 수정되기도 하며 원작의 의도와는 전혀 다르게 응용되어 특정 부분을 강조하거나 역설적으로 활용되는 경우도 있다. 하지만 작가가 작품을 통해 말하고자 하는 바를 이해하고 작가의 방식을 응용하여 활용하는 것과 원작의 스토리텔링 방식의 의도를 파악하지 못한 상태에서 서술적 흐름만을 가지고 응용 혹은 각색하는 것과는 커다란 차이가 있다. 작품의 주제를 표명하기 위해 작가가 창작한 구조적 요소들과 서술적 요소들을 이해했을 때 그것을 제대로 응용 혹은 변형시킬 수 있기 때문이다.

작품을 선택하여 작가의 의도대로 방향성을 잡고 작품제작 단계에 들어간다고 가정하고 작업의 의미와 필요성에 대해 이야기해 보자. 연기자들은 주제 도출 작업을 통해 작가의 의도를 파악하고 작품 속 인물들의 행동과 사건이 어디로 향하는가를 파악하여 인물형상화 작업에 정당성을 부여할 수 있다. 다시 말해서 작품을 구성하는 하나 하나의 요소들이 어떻게 조화를 이루어 하나의 주제를 표명하고 있는지를 파악하여 인물형상화에 반영해야 한다는 것이다. 연기자는 스토리텔링 팀의 구성원으로써 하나의 인물 혹은 다수의 인물을 구현해내는 책임을 지게 된다. 그 과정에서 도출된 주제를 토대로 한 명확한 방향성 없이 자의적 해석과 행위에 휩쓸리는 경우가 발생할 수 있으며 그것은 작품 전체의 방향과 상충되는 결과를 낳기도 한다. 이러한 이유로 작품의 주제를 도출하고 인물형상화에 반영하는 것은 매우 중요한 작업이며 작품 속 인물을 형상화하는데 중요한 가이드라인으로 작용하는 것이다.

주제 도출은 작가의 작품세계에 대한 조사를 토대로 작품을 통해 작가가 전달하고자 하는 메시지를 파악하는 작업을 시작으로 구체화

된다. 『미스 줄리(*Miss Julie*)』[9]의 예를 들어보자. 아우구스트 스트린드베리(August Strindberg, 1849-1912)는 19세기 말에서부터 20세기 초반의 대표적인 자연주의 극작가로 반페미니스트(Anti-Feminist)적 성향을 가진 극작가로 잘 알려져 있다. 스트린드베리의 작품들은 대부분 자서전적인 것으로 그의 성장배경과 가정환경 그리고 가치관을 담고 있다. 그의 자서전 『하인의 아들(*The Son of a Servant*)』에서 그는 그의 어린 시절을 '정서적 불안정, 가난, 광적인 신앙, 그리고 방치'[5]로 설명한다. 감정적으로 안정적이지 않았던 그의 어머니와 광적인 신도였던 그의 할머니 그리고 그가 최악의 적이라고 칭했던 그의 여형제들에게서 받은 영향을 일컫는 것이다. 그의 작품에 등장하는 여성들은 대부분 그의 인생에 영향을 끼쳤던 여성들의 특징에 기반을 두어 창작되었다고 해도 과언이 아닐 것이다. 여종 출신인 어머니와 몰락한 귀족인 아버지 사이에서 태어난 스트린드베리는 가난한 집안에서 태어나 6명의 아이들이 모두 한방에서 지내며 불우한 어린 시절을 보낸다. 1862년, 13세의 어린 나이에 어머니를 잃게 된 스트린드베리는 계모의 손에 자랐으나 대학에 입학하게 되며 가정을 떠나 독립하여 일과 학업을 병행하며 생활하였다. 훗날 교사가 되어 중산층 지성인으로써의 삶을 살게 되고 그의 신분상승에 대한 욕구는 더욱 커져 음악과

5. https://www.britannica.com/biography/August-Strindberg, "His childhood was marred by emotional insecurity, poverty, his grandmother's religious fanaticism, and neglect, as he relates in his remarkable autobiography Tjänstekvinnans son" (1886 - 87; *The Son of a Servant*, 1913).

그림 등을 접하며 귀족적 삶을 영유하고자 하지만 금전적 기반이 마련되지 않아 결국 귀족의 꿈은 이루어지지 않는다.

그의 작품 속에 등장하는 여성혐오와 인물들의 이중성을 이해하고 연기하고자 한다면 그의 인생을 이해하는 것에서부터 시작해야 할 것이다.[10] 타인에게 적대적이고 폐쇄적이었으며 불안증을 호소했던 스트린드베리는 세 번 결혼에 실패하고 두 번씩이나 정신병원에 수용된다. 이렇듯, 작가의 삶과 그의 세계관을 이해하고 나면 작품 속에서 다루는 이야기들의 맥락을 보다 쉽게 접근할 수 있다.

1988년에 발표된 『미스 줄리』는 단 세 명의 인물이 등장하는 '자연주의'6의 대표작으로 스웨덴 시골의 한 영주의 저택 내 부엌에서 극이 전개된다. 영주의 딸인 미스 줄리와 하인 쟝 그리고 그의 약혼녀 크리스틴이 펼쳐가는 이야기이다. 작품의 주제를 도출하기 위해서는 작가의 의도와 인물들의 기능을 먼저 살펴봐야 한다. 스트린드베리는 이 작품을 어떤 의도를 가지고 창작하게 되었을지 생각해보자. 스트린드베리는 그의 인생에서 만났던 여자들의 영향으로 여자에 대한 특정 인식을 형성하게 된다. 그는 인간이 가진 가장 기본적인 욕구중의 하나인 성적 욕구와 여성에 대한 부정적 시각을 가지고 이야기를 전개시킨다. 극을 중추적으로 끌고 가는 두 인물을 중심으로 주요 요소

---

6. '자연주의': 찰스 다윈(Charles Darwin)의 진화론에 입각하여 발전한 이론으로 인간의 생물학적 배경과 사회적 배경(신분)은 인간의 성격을 결정지으며 노력으로 변화시킬 수 없음을 주장한다. 대표작가로는 에밀졸라(Emile Zola), 아우구스트 스트린드베리(August Strindberg) 등이 있다.

들을 살펴보자. 하인인 쟝이 가진 신분상승에 대한 욕구에서 비롯된 귀족여인에 대한 로망 그리고 미스 줄리의 타고난 환경과 신분에서 비롯된 삶의 형식과 규칙들에서 벗어나고 싶은 열망 그리고 성적 호기심은 두 사람의 관계를 급격하게 변질시키고 타락한 여인이며 몰락하는 귀족인 미스 줄리는 쟝의 제안으로 죽음을 선택하게 된다. 스트린드베리는 '자연주의'에서 말하는 인간은 타고난 생물학적 배경을 벗어날 수 없으며 그것을 거스르는 인간의 욕구는 결국 그를 파멸에 이르게 할 수도 있는 파괴력을 가지게 된다는 견해를 『미스 줄리』를 통해 강조하며 주제로 전달한다. 줄리는 극 속에서 쟝에 대한 호기심뿐만 아니라 본인의 신분에서 오는 우월감과 동시에 엄격한 아버지로 인한 갇혀진 삶과 자유에 대한 열망을 표출한다. 그녀를 상징하며 극의 전조를 알리는 역할을 하는 극 속 요소들을 보면 작가의 의도는 더욱 명확하게 도출된다. 그녀의 꿈속에 등장하는 낭떠러지, 포악했던 어머니, 새장속의 새, 잡종견과 교배를 한 순종견 등 그녀의 삶을 둘러싸고 있는 상징적 요소들은 그녀의 비참한 마지막을 예견하고 있다. 작품 속에서 미스 줄리는 그 포악성과 그릇된 성에 대한 호기심으로 하인인 쟝에게 접근하여 그를 자극하게 된다. 폭력적 성향과 편향된 사고방식을 가진 어머니에 의한 잘못된 가정교육의 결과물로써의 미스 줄리는 결국 돌출구를 찾지 못한 채 스스로 죽음을 선택하게 되는 것이다.

인물형상화 작업에 임할 때 연기자는 작가가 인물을 통해 그려내고자 하는 인물의 특징을 주제와 연관시켜 바라볼 수 있어야 하며 작가가 말하고자 한 주제를 이해하고 그 주제를 전달하는데 필요한 하나의 요소로서 인물의 기능을 파악한 후 작업해야 한다. 인물이 작품 속에서 주어진 주제를 전달하는데 어떻게 활용되는가를 이해해야 하며 편견 없이 그 기능적 역할을 수행해야 하는 것이다. 인물의 선택과 행동에 대한 도덕적 평가는 인물을 부정적으로 그려내는 결과를 초래할 수도 있으며 작가의 의도와는 다른 인물이 만들어질 수도 있기 때문이다. 그러므로 연기자는 인물의 사고를 이해하고 행동에 정당성을 부여해야 한다. 다시 말해 인물이 가진 사고체계를 습득하여 목적을 향해 달려가는 인물이 구사하는 다양한 방법들을 찾아 편견 없이 행해야 하는 것이다.

요 약

작품의 주제를 이해한다는 것은 창작의 가이드라인을 도출하여 안전한 범위 내에서 명확한 방향성을 가지고 공동작업에 임할 수 있는 환경을 조성하는 것과 직결된다. 각기 다른 창작역량을 가지고 만나는 분야별 전문가들에게 공통분모를 제공한다고 생각하면 더 쉬울 것이다.

4. 플롯의 이해(장면의 기능)

작가는 이야기의 구조를 어떻게 효율적으로 구성하는가?

작가는 주제를 전달하기 위해 이야기를 창작하고 이야기의 극화 과정에 인물과 사건을 만들어 적절하게 배치한다. 각각의 기능을 가지고 있는 인물들은 적당한 곳에서 만나 사건을 만들고 갈등을 고조시키고 해소해가는 등 이야기의 주제를 효율적으로 풀어나가게 되는데 바로 이 배치 순서, 즉 이야기의 구조를 플롯이라고 한다. 플롯이라는 콘셉트 자체는 아리스토텔레스(Aristotles)의 『시학(*Poetica*)』[7]에서 매우 구체적으로 명시된다. 고대 그리스 디오니소스 축제[8]를 연극발

---

7. 'Poetica': 고대 그리스의 철학자이자 비평가였던 아리스토텔레스의 저서로 연극(비극)의 정의 및 구성에 대해 논하고 이를 문학의 최고 형식으로 칭하는 문학이론의 고전이다.
8. 디오니소스 축제: 고대 그리스 술과 풍요의 신 디오니소스를 숭배하는 축제로 춤,

전의 근원으로 삼고 있는 서양연극사의 기준에 의거하여 드라마와 코미디의 구조는 발전하게 된다. 우리가 지금 접하고 있는 기본적인 연극의 서사구조도 그에 준하여 응용된 형태가 대다수이다. 줄거리 구성도표에서 보이는 것과 같이 하나의 이야기는 구성체계(플롯)와 등장인물로 나누어 그 구조를 분리할 수 있다. 하나의 이야기를 전달하기 위한 구조적 형태화 등장인물들에 의해 전달되는 서술적 형태를 구분해 보는 것이다.

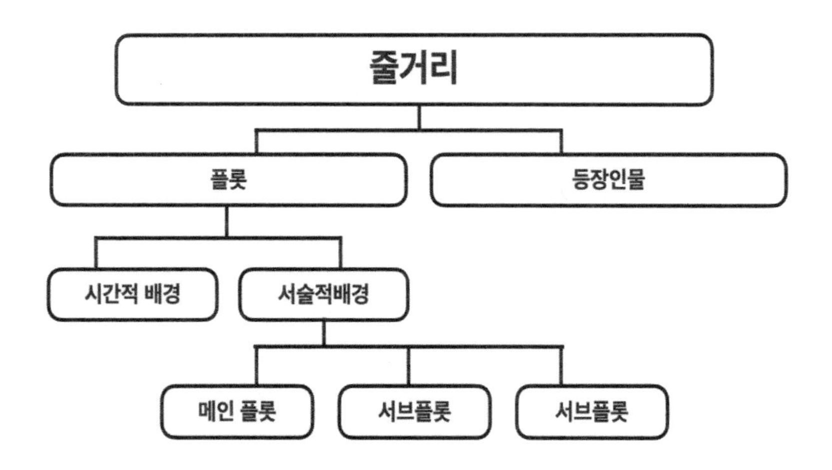

줄거리 구성도표: 줄거리를 구성하고 있는 구조적 메커니즘을 설명한 도표이다.

노래, 연극 등의 경연이 축제기간 동안 이루어져 연극의 발전에 큰 영향을 끼친 축제이다.

플롯은 이야기 전달방식에 있어서의 구성체계를 일컫고 이는 시간적 배경과 서술적 배경으로 구분해서 볼 수 있는데 이 체계는 작품을 분석하기 위해 서술적 구조를 분리해보는 두 번째 단계의 작업이라 할 수 있다. 시간적 배경과 서술적 배경을 구분해봤을 때 구체적 구조를 메인 플롯과 서브플롯으로 보다 명확하게 도출할 수 있기 때문이다. 물론 서브플롯이 존재하지 않는 극의 형태라면 그 부분은 배제하고 생각할 수 있을 것이다. 서브플롯은 인물, 사건, 주어진 환경 등에 대한 추가적 설명을 위해 사용되는 경우가 많다.

극의 서술적인 흐름을 이해하는 것을 줄거리를 파악하는 단계라 할 수 있고 줄거리의 서술구조를 파악하는 것이 플롯의 이해이다. 플롯의 구조 속에 이야기의 서술이 어떻게 배치되어 이루어지고 있는지를 파악함으로써 각 장면의 기능을 파악하고 효율적으로 구조상의 단계에 맞는 인물의 여정을 연기해낼 수 있는 것이다.

다시 말해, 플롯이란 극의 구성을 보여주는 극적 요소를 나열한 것을 말한다. 아리스토텔레스와 구스타프 프라이타크(Gustav Freytag)[9]의 효율적인 극 구성이론에 입거한 구성표는 이미 전통적 스토리텔링 구조로 널리 알려져 있다.

---

9. 구스타프 프라이타크(1816-1895): 독일의 소설가이자 극작가, *Freytag's Technique of the Drama: An Exposition of Dramatic Composition and Art* (en.1894)를 통해 극의 구성에 대한 그의 논리를 정립하였다.

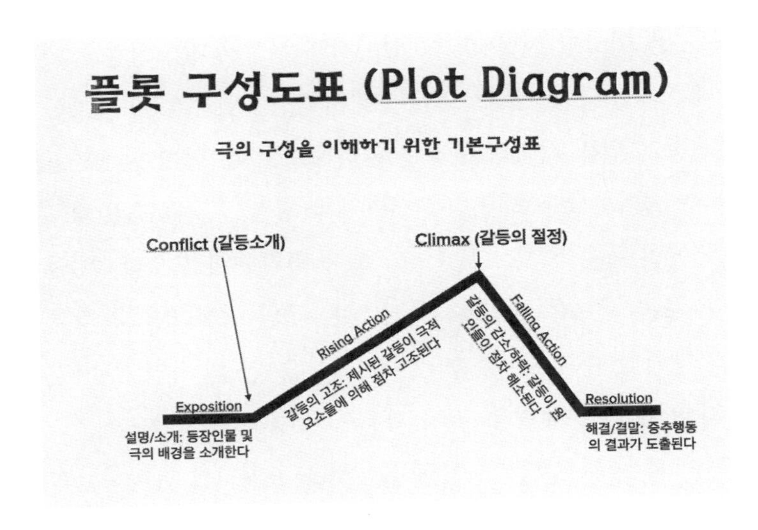

우리에게 흔히 기 · 승 · 전 · 결로 알려져 있는 이 플롯 구성도표는 소개(인물/배경) – 갈등의 소개 – 갈등의 전개 – 갈등의 절정 – 갈등의 해소 – (극의) 결말의 구조를 가지고 있다. 연기자의 입장에서 봤을 때 플롯 구성도표는 인물의 여정에 나열되어 있는 장면의 기능을 구체화하는 토대로 활용할 수 있다. 다시 말해 장면이 플롯구조 상 어떤 위치에 있느냐에 따라 장면의 기능이 정해지고 그 장면의 기능을 완수할 수 있는 인물의 여정을 구체화하는 연기적 선택을 해야 한다는 것이다. 작가가 장면을 어떠한 목적을 가지고 창작하였는지를 파악하는 것이다. 예를 들어, 인물을 소개하는 단계에 속하는 장면이라면 그 인물을 관객에게 잘 소개할 수 있는 방식을 찾아 형상화에 도입해야 한다는 것이다. 갈등의 구조에 포함되어 있는 인물이라면 더욱 더 갈등의 원인이 될 수 있는 인물, 관계, 배경, 그리고 기질적 특성을 드러내 극의 전개에 앞에 소개의 기능을 수행해야 한다. 불필요한 감정소비나 설정으로 인물을 소개하는 기능을 가진 장면의 기능과 상충되는 행위를 해서는 안 될 것이며 작품의 구조상에서 장면의 기능에 부합하는 선택들이 이루어져야 할 것이다. 극은 사건의 나열로 이루어진다. 각 사건은 스토리텔링의 차원에서 봤을 때 창작자인 작가의 의도가 분명히 존재하고 그 존재의 이유를 명확하게 해줄 수 있는 형상화 작업에 임해야 한다는 것이다. 플롯을 이해하고 단계별 기능을 이해하는 것은 이처럼 인물의 특징과 목표도출 외에도 연기자가 필수적으로 알아야 하는 구조적 가이드라인을 제공하는 것이다. 스토리텔링의 구조적 단계에 부합하는 배우의 선택으로 인물의 행동을 구체화하여 효율적이고 논리적인 인물형상화 작업에 임하는 것이다. 작품이 구성도표의 구조를 따르지 않는다고 하여도 구조적 요소들은 반드시 포함하고 있을 것이며 요소별 기능을 파악하여 인물의 여정에 단계별로 특화하여 위의 도표와 같은 인물의 아크(Arc)[10]를 형상화할 수 있다.

감정을 설명하고 인물이 지향하는 바가 드러나지 않는 서술적인 연기 혹은 감정표현에 중점을 둔 방향성이 모호한 연기에서 벗어나 플롯의 구조에 입거한 장면의 기능이 무엇인지를 파악하고 그 안에서 인물이 무엇을 원하는지 그리고 어떻게 원하는 것을 갖고자 노력하는지를 찾아 명확한 목표를 가지고 행동해야 한다는 것이다. 인물에 대한 배경지식과 함께 명확한 목표를 가지고 행동한다면 감정은 자동적

10. 포물선과 같이 인물의 드라마적 상승과 하강 등의 여정의 굴곡선을 만들어내는 것을 뜻한다.

으로 생겨날 것이다. 감정은 행동과 관계의 구현에서 자연스럽게 생성되는 부산물이다. 감정을 잡고 인물에게 동질감을 느껴 연기하는 것이 아닌 극의 구조를 파악하여 인물의 기능을 도출하고 논리적이며 효율적인 접근으로 인물형상화 작업에 임해야 하는 것이다.

요 약

플롯을 이해한다는 것은 극이 어떤 구조를 가지고 있는지 서술적 흐름에서 벗어나 이야기의 골격을 바라보는 것이다. 인간의 몸과 같이 골격이라는 것은 각 마디별 기능을 가지고 있기 마련이고 각 마디의 기능이 무너질 때 전체 골격은 밸런스를 잃게 되기 때문이다. 연기자는 골격을 이해하고 각 장과 막이 가진 기능을 도출하여 작업체계를 구축하고 인물에 보다 효율적으로 접근할 수 있다.

5. 작품의 중추행동

이야기의 중심에 있는 행동은 무엇을 추구하는가?

작가의 상상은 대본 속에 살아 있는 인물 그리고 사건들로 구성이 되어 주제를 전달한다. 인물 혹은 인물들은 사건을 겪어나가는 여정 속에 갈등을 전개시켜 나가게 되고 갈등해소를 위해 각자 원하는 바를 추구하게 되는 것이다. 우리는 이것을 중추행동이라 칭한다. 작가가 스토리텔링을 위해 중추적으로 사용하는 행동인 것이다. 중추행동은 인물 혹은 인물들의 행동에 의해 주제를 직간접적으로 표명하게 되는데 그 중추적 행동을 도출하여 이야기의 메인 플롯이 도출되어야 하는 것이다. 고대 그리스의 극과는 다르게 이야기의 중심이 되는 줄거리 외에도 서브플롯이 다양하게 소개되는 멀티 플롯 구조의 극에서 중추행동을 도출하여 서브(Sub)플롯이 메인플롯을 어떻게 구체화해 주는가에 대한 기능을 도출할 수 있기 때문이며 중추적으로 이루어지는 사건의 구조를 파악할 수 있기 때문에 중추행동을 도출하는 것은 중요하다. 중추행동을 도출하기 위해서 우리는 주제가 어떤 구조로 극화되었는지를 파악하고 주제를 중심적으로 전달하고 있는 인물 혹은 인물들과 작품의 주제와의 관계를 파악하여 중추행동을 도출해야 하는 것이다.

중추행동은 여러 가지 형태로 작품을 이끌어 나가게 되는데 중추행동이 추진력을 가지고 장애물들을 헤쳐 나가는 경우에는 매우 명확한 주제와의 상관관계가 도출된다. 셰익스피어의 『로미오와 줄리엣』의 예를 들어보자. 두 주인공은 이탈리아 베로나의 두 명문가 몬태규와 캐퓰렛의 자식들이다. 파티에서 우연히 만나 사랑에 빠지게 되는 두 사람은 바로 서로에게 사랑을 맹세하고 결혼을 약속하며 중추행동을 추진력 있게 진행시킨다. 그러나 두 가문의 오랜 대치관계로 인해 벌어진 싸움으로 로미오는 줄리엣의 사촌오빠인 티볼트를 살해하게 되고 베로나에서 추방을 당하게 된다. 이렇듯 작가가 중추행동을 이끌어나가는 인물들이 목표를 이루는데 장애물들을 제공하는 것이다. 젊은 연인인 로미오와 줄리엣은 결국 죽어서도 함께 하게 된다. 『로미오와 줄리엣』은 주요 인물들의 중추적 행동을 방해하는 사건들을 플롯의 구성에 설치하여 목적을 향해 매진하는 인물들의 행동에 더욱 강한 동기와 당위성을 부여한다.

『로미오와 줄리엣』 같이 작품에서 보여주는 주된 행동은 주로 주인공이 초목표를 향해 달려가는 여정과 동일한 경우가 많지만 주인공이 항상 중추행동을 능동적으로 추진해 나가는 것은 아니다. 햄릿의 예를 들어보자. 우리는 흔히 햄릿을 우유부단하다고 말한다. 그 근거는 물론 극의 진행과정 내내 명확하고 능동적인 행동의 방향성을 잡지 못하고 주위의 모든 사람들의 불행을 초래하게 되는 이야기 전개에 있다. 그러나 배우의 인물형상화 작업에 있어서 '우유부단함'이란 능동적인 인물을 그려내는데 도움이 되지 않는다. 행동을 찾을 수가 없기 때문이다. 그렇다면 햄릿이 능동적으로 하고 있는 것이 무엇인지 파악해야 한다. 그것이 바로 이 극의 중추행동이다. 셰익스피어가 햄릿의 생각을 그대로 담아 놓은 대사들을 살펴보면 직접적으로 추진되지 못하는 중추행동과 그 원인을 알 수 있다. 햄릿은 무엇으로 인해 능동적으로 목표를 향해 달려가지 못하는지, 무엇이 그의 복수에 걸림돌이 되는지가 구체적으로 서술되어 있기 때문이다. 3막 1장의 햄릿의 독백에서 언급되는 햄릿의 고뇌와 논리를 살펴보면 그의 목적은 단순한 복수가 아니라 진실의 확인을 통한 정당성 확보이며 그렇게 해서만 얻을 수 있는 진정한 의미의 평화라는 것을 알 수 있다. 중의적 의미로 쓰이는 죽음과 수면이라는 단어는 살인을 저지르는 것도 자살을 하는 것도 결국은 '고귀함' 다시 말해 '정당성'이 부여되지 않는다면 또 다른 악이며 끝나지 않는 괴로움의 연속일 것이라는 것이다. 진실을 정확하게 확인하지 않은 채 악에 대항하여 자신의 목숨을 잃거나 다른 사람의 목숨을 앗아가는 것 둘 다 정당화 될 수 없고 어떠한 고통도 끝낼 수 없다. 그렇기 때문에 살인도 자살도 명분 없이 행해질 수 없다는 것이다. 햄릿은 인물이 마주하고 있는 문제들을 정확하게 묘사하고 있으며 그가 생각하는 장애물이 무엇인지 그의 독백을 통해 이해하고 극 중 그가 취하는 행동들을 통해 중추행동을 도출할 수 있다. 의미를 보다 쉽게 파악하기 위해 운율의 정확성과 원문 상 은유의 직역을 배제하고 독백 중에 햄릿이 고뇌하는 사고의 의미가 크게 구분되는 부분을 6단락으로 나누어 살펴보자.

〈햄릿, 3막 1장[11]〉

To be, or not to be, that is the question:
whether 'tis nobler in the mind to suffer
The slings and arrows of outrageous fortune,
or to take arms against a sea of troubles
And by opposing end them. To die— to sleep,

11사느냐, 죽느냐, 바로 그것이 문제다
터무니없는 운명의 돌팔매와 화살을 맞고
속으로 괴로워하는 것이 더 고귀한 것인가
고난의 바다에 맞서 저항하고
싸워서 끝내는 것이 고귀한 일인가. 죽는다— 잠든다,

⇒ 올바른 대응방안 곧 복수에 대한 고뇌: 중의적 의미로써의 '삶과 죽음'으로 복수의 실행에 대한 의미를 가지고 있다. 일반적으로 말하는 사는 것과 죽는 것, 즉 존재하는 것과 존재하지 않는 것이라는 것은 복수를 하고 싶으나 복수를 하지 않으므로 죽은 것과 다를 게 없는 자신의 위치 그리고 복수를 함으로써 얻어지는 삶과 복수를 했을 경우 맞이하게 될 수도 있는 죽음에 대한 의미를 포함하고 있다.

11. 원문의 이해를 돕기 위해 부분 의역하여 한글의 어순으로 정리하여 번역하였음.

No more; and by a sleep to say we end
The heart-ache and the thousand natural shocks
That flesh is heir to: tis a consummation
Devoutly to be wish'd. To die, to sleep;

그뿐이다. 잠에 듦으로써 육체가 물려받을
모든 심적 고통과 천연적 충격을
끝낸다. 그것이야말로 절실하게 원하는 완전함이다.
죽는다, 잠든다;

⇒ 모든 것이 끝났을 때 마땅히 주어져야 할 평화에 대한 명제: 현실의 고통에서 벗어나 휴식에 접어든다는 것에 대한 논리적 의미와 그에게 있어서의 죽음이라는 것에 대한 생각을 드러내는 부분이다. 햄릿은 죽음을 맞이할 때 당연히 얻어져야 하는 휴식과 평화를 기대한다. 그가 처한 이 고통스러운 상황에서 해방되어 평화를 얻어야 한다는 것이다. '잠든다'는 것은 그가 간절하게도 원하는 '휴식'이라는 것을 의미해야 한다는 그의 바람을 말하고 있다.

To sleep, perchance to dream—ay, there's the rub;
For in that sleep of death what dreams may come,
when we have shuffled off this mortal coil,
Must give us pause—there's the respect
That makes calamity of so long life.

잠이 든다, 어쩌면 꿈을 꾼다— 아, 그게 걸리는 군.
고단한 삶의 번거로움을 벗어버린 후에
죽음의 숙면 속에서 어떤 꿈을 꾸게 될지 알 수 없으니
멈춰서 고민할 수밖에— 이러한 생각이
길고 긴 인생의 고난을 견디게 하는 것이다.

⇒ 정당성이 결여되었을 때의 문제점: 고요해질 수 없는 복수 후의 죽음 혹은 복수 없는 죽음

에 대한 그의 해석이 진행되고 있다. 복수의 정당성이 부여되지 않는다면 복수 후의 평화는 찾아오지 않을 것이며 그것은 곧 악몽과 같다. 지금 당장이라도 행동으로 옮겨 아버지의 죽음에 대한 복수를 하고 싶은 햄릿을 멈추게 하는 이유를 말하고 있다.

For who would bear the whip and scorns of time,
Th'opperssor's wrong, the proud man's contumely,
The pangs of dispriz'd love, the law's delay,
The insolence of office, and the spurns
That patient merit of th'unworthy takes,
When he himself might his quietus make
With a bare bodkin?

그 누가 시대의 굴욕과 채찍,
압제자의 횡포, 오만한 자의 불손,
짝사랑의 고통, 더디기만 한 법의 집행,
관리들의 무례함, 선한 자들의 감내하는
악한 이들의 무시와 천대를 견딘단 말인가?
칼 하나만 빼어들면 모든 것을 끝낼 수 있는데?

⇒ 정당성 확보의 필요성에 대한 명제: 상황의 폭력성과 고통을 감안했을 때 무력을 통한 복수는 필수적인 것이다. 클로디어스와 거투르드의 결혼, 클로디어스의 집권, 정의의 부재 등에 대한 대응은 당연히 그들의 횡포와 폭력성과 같은 것이어야 한다는 논리를 펼치고 있다. 그가 느끼는 처절한 고통과 수모 그리고 그에 상응하는 복수를 묘사하고 있는 것이다.

Who would fardels bear,
To grunt and sweat under a weary life,
But that the dread of something after death,
The undiscovered country, from whose bourn
No traveller returns, puzzles the will,

And makes us rather bear those ills we have
Than fly to others that we know not of?

아직까지 돌아온 사람이 없는
알 수 없는 그 세계와, 죽음 뒤에 오는 그 무언가에
대한 두려움 때문이 아니라면
누가 땀 흘리고 신음하며 고단한 삶을
견뎌낼 것인가, 그것이 우리를 혼란스럽게 하여
미지의 것들로 날아가기보다는
악을 견디게 하는 것이 아닌가?

⇒ 정당성이 부여되지 않은 복수 후의 미지의 것에 대한 두려움: 죽음 후에도 지속될 고통에 대한 두려움 때문에 단지 그것 때문에 주저하는지에 대한 반문이다. 사후세계의 고통을 알 수 없는 무지의 상태에서 다시 말해 명확한 사실인지가 확인되지 않은 상태에서 행해지는 복수는 그 대가를 치를 것이며 그 불명확함이 결국은 위에서 언급된 부조리와 고통 그리고 횡포를 견디게 하는 것이다. 진실을 찾기 위해 필요한 인내심에 대한 이야기를 하고 있다.

Thus conscience does make cowards of us all,
And thus the native hue of resolution
Is sicklied o'er with the pale cast of thought,
And enterprises of great pitch and moment
With this regard their currents turn awry
And lose the name of action.

이렇게 자각이라는 것은 우리를 겁쟁이로 만들고
결단력의 본래 빛깔은 상념의 창백한 빛에 바래여
병색을 띤다. 그리하여 중대한 계획의 순간들은
흐트러져 행동의 명분을 잃게 된다.

⇒ 아는 만큼 커지는 두려움: 이러한 생각에 끝에 얻는 깨달음은 결국 결단적 순간에 행동(혹은 복수)을 멈추게 한다. 명확한 증거를 확보하지 못한 상태에서 복수의 위험성에 대해 생각한 햄릿은 결국 행동이 그 추진력을 잃고 있는 답답하고 괴로운 현실 무능력하고 겁쟁이 같아 보이는 자신에 대해 이야기 하고 있다.

햄릿의 독백에서 볼 수 있듯, 주로 주인공의 초목표와 직결되어 있는 작품 속 주요사건들이 하나의 커다란 행동으로 정리될 수 있으며 그것을 작품의 중추행동이라 한다. 작가의 특성에 따라 여러 가지 방식으로 펼쳐지는 중추행동은 주인공이 직면하는 갈등과 대응을 중심으로 작가의 의도에 부합 혹은 반하는 행동을 유발하여 직접적 혹은 간접적으로 전달된다. 하나의 주요 인물에 의해 행해지지 않는 경우도 물론 있다. 작품에 특성에 따라 여러 인물이 비슷한 상황을 다르게 풀어나가는 옴니버스 형식으로 주제를 명확하게 전달하기도 한다. 중요한 것은 작품의 주제를 어떠한 중추적 행동으로 관객에게 전달하고 있는지를 파악하고 전달방식에 따른 인물형상화에 참고하는 것이다. 중추행동은 종종 장애물에 의해 분리된 작은 사건들의 나열로 이루어지고 장애물 역할을 하는 사건들에 가려서 쉽게 도출되지 않는 경우도 있다. 그렇기 때문에 극의 구조 안에서 장애물(혹은 갈등)을 배제하고 인물의 여정을 바라봐야 하며 시작점과 종착점을 파악하여 중추행동을 도출해야 한다. 장애물을 배제했을 때 비로소 인물의 대응적 행동이 아닌 인물이 추구하는 능동적 행동을 도출할 수 있으며 그것이 작품의 주제를 전달하는 중추행동이기 때문이다.

요 약

중추행동이라는 것은 작가가 말하고자 하는 바를 어떤 액션(Action)으로 보여주는가를 파악하는 것이다. 중추행동은 작가가 설치한 장애물에 의해 분리되어 플롯 안에 사건들로 배치된다. 명확하게 주인공에 의해 능동적으로 추진되는 중추행동은 도출이 쉬우나 작품에서 긍정적인 결과로 이어지지 않는 중추행동이 그 방향성을 잃는 경우가 발생한다. 이루어지지 않는 목적이라고 해서 인물이 그 목적을 이루고자 매진함에 있어 게으른 것은 아니다. 작가의 의도를 전달하기 위해 중추행동이 실패로 돌아간다고 하더라도 인물을 형상화하는 배우는 끝까지 인물의 의지를 기준으로 행동 찾기 작업에 임해야 하는 것이다.

6. 인물의 관계와 기능

작가는 중추행동을 이끌어가는 주요 인물과 주변 인물들을 어떻게 활용하는가?

초기 작품분석 리서치 과정에서 잊어서는 안 되는 것은 바로 작가의 상상력에 의해서 창조된 인물들은 각각의 기능을 가지고 있다는 것이다. 작가는 극의 주제를 창의적으로 전달하기 위해서 이야기를 구상하고 인물들을 만들어낸다. 인물들은 극의 주제를 전달하는 이야기를 전개하기 위해 극작가가 창작한 도구로 극 안에서 사건의 전개와 구성에 절대적 역할을 한다. 배우는 인물형상화에 앞서 스토리텔링의 효과를 극대화 할 수 있도록 각 인물의 기능을 파악하고 인물간의 견해를 도출해야 한다. 흔히 왕족이나 귀족들의 계보 혹은 족보 등에서 볼 수 있는 생물학적 관계를 설명해주는 관계도가 아닌 회사나 공공기관에서 볼 수 있는 각각의 부서별 담당자를 표시해주는 조직도라 생각하면 훨씬 더 이해하기가 쉬울 것이다. 작가가 인물들에게 부여한 스토리텔링의 구조상 기능을 일컫는 것이다. 극의 조직도는 플롯상의 기능에서 각 인물이 어떤 기능을 하게 되는지를 파악할 수 있도록 돕는다. 인물의 기능을 파악하면 극 중 목표를 도출하는데도 용이할 것이며 인물을 형상화하는데 활용할 수 있는 많은 정보를 얻을 수 있다. 특히나 서술적 흐름에서 이해하기 힘든 인물 혹은 인물들의 선택 혹은 장면을 기능적 차원에서 보면 작가의 마인드를 읽어내는데 도움이 된다. 사고의 방향을 전환하여 작업에 타당성을 부여하고 연계성 없는 혹은 인과관계에 있지 않는 연기자의 행동으로써의 행위의 함정에 빠지지 않고 정당성의 범위 내에서 자유로운 인물형상화 작업이 이루어 질 수 있는 것이다. 해석의 어려움을 풀어나가는데 방향성을 제시하여 극의 구성과 흐름에 방해가 되는 선택을 방지하여 효율적 인물형상화 작업에 활용할 수 있을 것이다.

서양 문학을 기반으로 인물의 유형을 분류하는 기준은 크게 세 가지로 나뉜다. 더욱 설득력 있고 흡입력 있는 극 창작을 목적으로 극중 인물을 만들어내는 과정에서의 효율적 구분을 위해 특성별 유형으로 구분지어 놓은 것으로 인물창작의 뼈대로 쓰인다고 보면 이해하기가 좀 더 쉬울 것이다. 극에 사용되는 역할유형, 인물 유형, 그리고 성격의 원형을 구분하는 것이다. 보편적으로 7가지 역할 유형, 5가지의 인물 유형, 그리고 12가지의 성격유형으로 나뉜다. 다양한 구분 방법이 있으나 이 책에서는 드라마의 구조상의 기능으로 구분되는 7가지 역할 유형과 인물의 성격 유형으로 구분되는 12가지 인물 유형을 다루고자 한다. 분류기준에 따라 다른 유형의 혼용은 당연히 이루어지는 것으로 절대적 인물구현을 위해 사용되는 것이 아니라 극의 구조 속에서 인물의 기능을 이해하는데 작가의 시점으로 봤을 때의 기준점을 제공하고자 하는 것으로 연기자의 인물형상화 작업의 출발점 정도로 이해하고 잇따르는 구체화 작업에서는 다양한 응용방식과 클리쉐(Cliché)[12]에서 벗어난 창의적 표현방식을 찾는 것을 추천한다.

문학작품 속의 캐릭터 유형 분류

1) 극에 사용되는 7가지 역할 유형(7 Character Roles in Stories)[13]

극에 사용되는 주된 역할 유형으로 극을 끌어나가는데 어떤 기능을 하고 있는지를 파악할 수 있다. 이야기의 서술적 구조의 중심에 있는 인물과 갈등과 사건을 이끌어가며 이야기를 발전시켜 나가는 부수적 인물들이 가진 구조상의 기능을 기준으로 분류한 것이다.

① 주인공(Protagonist: 프로타고니스트)

이야기의 중심이 되는 역할로 플롯의 전개에 중추적 역할을 한다. 극의 전개와 함께 설명될 수 있는 배경을 가지고 있으며 개인적인

12. 클리쉐(Cliché): 흔히 상용되는 틀에 박힌 상투적이고 진부한 표현
13. 미국 중등교육 기본자료 및 https://www.masterclass.com

동기와 인물의 여정이 이야기의 서술과 함께 드러난다.

② 대립인물(Antagonist: 안타고니스트)

주인공과 대립하거나 적대적인 위치에 있는 인물이다. 주로 극의 악당역할을 담당하고 주인공에게 장애요소들을 제공한다. 주인공과 함께 극의 플롯을 끌고 가는 역할을 한다.

③ 애정의 상대(Love interest: 러브 인터레스트)

주인공과의 연인관계에 있는 인물로 극 중 사건의 전개에 긴장감 해소, 동기부여, 장애물 제공 등 중추행동의 진행에 영향을 끼친다.

④ 의지할 수 있는 친구(Confidant: 컨피단트)

주인공의 절친한 친구 혹은 심복이다. 곁에서 극 중 주인공의 솔직한 심정 혹은 의도를 듣고 논의 혹은 조언하는 역할을 한다. 관객은 종종 이 인물과의 장면을 통해서 주인공에 대한 정보를 얻게 된다. 인물을 등장시켜 이 기능을 소화하는 것이 일반적이나 상징적 공간, 가상의 인물 혹은 일기장 등의 추상적 형태로도 등장한다.

⑤ 들러리(Deuteragonists: 듀터라고니스트)

들러리들은 의지할 수 있는 친구인 경우가 많으나 항상 그런 것은 아니다. 그들은 주인공과 가까우나 그들의 이야기가 메인 플롯에 들어가 있지 않으며 독립적 여정이 극의 구조 속에 나오지 않는 경우도 많다.

⑥ 제 3의 인물(Tertiary characters: 터시에리 캐릭터)

환경을 만들어주는 다양한 인물들을 말한다. 그들은 작품 속 세상을 만들어주지만 메인 플롯과 연관되어 있지 않다. 주인공 혹은 대립 인물들의 활동에 에피소드를 제공하는 등의 역할을 한다.

⑦ 대비적 인물(Foil: 호일)

대비적 인물은 주인공과 상반되는 가치를 제공한다. 주인공이 선하고 배려 깊은 인물이라고 가정했을 때 대비적 인물은 그와 상반된 행동으로 주인공의 선함과 깊은 배려를 끌어낸다. 대상인물의 성격을 구체화하기 위해 쓰인다.

2) 극에 사용되는 12가지 인물의 원형(12 Character Archetypes)[12)]

12가지 인물의 원형은 극에 등장하는 인물 유형을 인간의 본성이 가진 보편적 성향을 나타내는 전형적인 성격 유형을 기준으로 구분한다. 무의식의 세계와 심리분석을 통한 인간 본성의 원형을 12가지로 구분하여 도출한 스위스의 심리학자 칼 융(Carl Jung)[14]은 다양한 문화

14. 칼 구스타브 융(Carl Gustav Jung, 1875-1961): 스위스의 정신과 의사이자 정신분석학자로 분석심리학의 창시자이며 '심리유형론'(1920)의 저자이다.

와 종교적 배경을 비교 · 분석하여 인간 내면의 다양한 심리적 유형을 도출하였다. 인간을 움직이는 가장 기본적인 원동력을 상징하는 칼 융의 12가지 성격 원형은 지금까지도 문학창작, 브랜드 개발, 심리학 등에서 폭넓게 쓰이고 있다. 이에 기반을 둔 12가지 인물의 원형은 미국의 문학 비평/이론가 조셉 캠벨(Joseph Campbell)[15]에 의해 문학작품에 나타나는 인물의 성격 원형으로 정립되었으며 가장 보편적으로 다루어지는 유형만을 포함한다.

① 연인(The Lover)

로맨스의 주인공으로 감정적 흐름에 순응하는 경우가 많다. 그들은 대부분 인간적이며 열정적이고 강한 의지를 보인지만 지나치게 순수하고 종종 이성적이지 않은 결론에 도달한다.

② 영웅(The Hero)

역경에 맞서 싸워 성공으로 이끄는 인물이다. 용감하고 끈기 있으며 명예로우나 타협하지 않는 강인함과 지나친 자부심을 가지고 있다. 비극적 운명을 타고 난 경우를 종종 볼 수 있다.

15. 조셉 캠벨(Joseph Campbell, 1904-1987), 미국의 문학 비평가이자 대학교수이며 칼 융의 분석심리학에 입거한 문학작품에 나타나는 인물 원형(Archetype)을 틀을 마련하였다.

③ 마법사(The Magician)

주위 환경을 다스릴 수 있는 영향력을 가진 인물인 경우가 많다. 전지전능하며 오랜 수련기간을 거친 인물로 영향력에서 나오는 오만함으로 부정부패의 경계를 넘나드는 경우도 있다.

④ 반항아(The Rebel)

사회의 요구와 기대 혹은 규범에 순응하지 않는 반항적 인물이다. 무법자들이 항상 악당은 아니다. 독립적이고 강한 성품을 보이며 의심이 많고 자기중심적이다. 범죄 현장이나 행동에 노출되어 있는 경우가 많다.

⑤ 탐험가(The Explorer)

지속적으로 예측 가능한 경계를 무너뜨리고 탐구정신을 발휘하는 인물이다. 호기심 많고 의욕이 넘치며 자기계발을 목적으로 도전하는 경우가 많다. 참을성이 없어 예측할 수 없는 행동을 많이 하며 즉흥적이기도 하다. 만족하고 안주하는 경우가 별로 없다.

⑥ 현자(The Sage)

현명하고 경험이 많으며 통찰력을 가진 인물이다. 경험과 지식에서 나오는 조언으로 문제해결의 실마리를 제공하기도 하나 지나치게 경계심을 보이는 경우도 있으며 행동에 이르기 전에 망설이게 만들거나 스스로 망설이는 경우가 많다.

⑦ 순수한 사람(The Innocent)

도덕적으로 결함이 없는 깨끗한 인물이다. 타인과 상황에 대한 좋은 의도를 가지고 있으며 진중하고 친절하지만 연약하고 순진하며 노련하지 않다.

⑧ 창조자/예술가(The Creator)

극의 서술적 구조의 기초를 만들어내는 의욕적인 선지자적 인물이다. 창의적이며 의지가 뚜렷하고 확실한 신념을 가지고 있지만 외골수적이며 실용적 효율성이 떨어지는 자기중심적 인물인 경우가 많다.

⑨ 통치자(The Ruler)

다른 인물들을 법적으로 혹은 감정적으로 통치할 수 있는 인물이다. 통치자들은 힘과 지위 그리고 그에 맞는 자원을 가지고 있지만 고고하며 현실감각이 떨어지고 다른 인물들로부터 반감을 사는 경우가 많다.

⑩ 돌보는 자(The Caregiver)

다른 인물들을 위해 희생하고 돌보는 인물이다. 이타적이며 명예를 중시하고 충실하지만 개인적 야망이나 리더십을 보이지 않는 경우가 많다.

⑪ 보통사람(The Everyman/Orphan)

대중이 쉽게 공감할 수 있는 대중적인 인물이다. 가장 보편적이 유형이며 집단 활동을 즐기고 소속감을 가지고 싶어 한다. 의심이 많아 불안감을 안고 살아가지만 긍정적이며 진솔하다. 의지가 있지만 두려움이 많고 거절당하는 것을 극도로 두려워한다.

⑫ 어릿광대(The Jester/Fool)

드라마의 긴장을 풀어주기 위해 의도적으로 웃음을 유발하는 순발력 있는 인물이다. 자유롭고 삶을 즐기는 동시에 창의력과 통찰력이 있으며 다른 인물들의 긴장을 완화하지만 때로는 깊이가 없거나 불쾌감을 조성하기도 한다.

요 약

인물이 이야기의 구성에서 가지고 있는 기능과 성격구축에 따른 인물의 기능은 극작을 하는 작가의 입장에서 기본색 정도라고 이해하면 좋을 것이다. 그 시작점이 어디에 있는지를 파악하고 인물을 바라볼 때 보이는 응용의 형식은 연기자를 보다 자유롭게 창작할 수 있도록 안내한다. 행동과 행위의 구분선에서 망설이는 창작의 범위를 보다 명확하게 하여 방향성을 가지고 작업할 수 있기 때문이다.

2
장

인물분석과 형상화

『인형의 집(*A Doll's House*)』을 예시로

1. 작품의 이해

(1) 작가의 작품세계와 시대적 배경

입센은 무엇을 이야기하고 있는가?

『인형의 집』[13]은 헨릭 입센이 그의 친구였던 노르웨이의 소설가 로라 키엘러(Laura Kieler)의 인생에서 영감을 받아 집필된 것으로 알려져 있다. 극 중 노라(Nora)와 토르발트(Torvald) 사이에서 벌어지는 일들은 대부분 로라와 그녀의 남편, 빅터 키엘러(Victor Kieler) 사이에서 일어났던 일을 극화한 것이다. 로라는 폐결핵을 앓고 있던 그녀의 남편의 목숨을 살리기 위해 불법 대출에 사인을 하게 되고 그 빚을 갚기 위해 입센에게 그녀의 작업을 입센의 출판사에 추천해줄 것을 요청하는 편지를 쓰지만 입센은 거절을 하고 결국 그녀는 위조수표를 발행해 빚을 갚으려고 한다. 그러나 그녀의 행각은 발각되고 모든 사실을 알게 된 그녀의 남편은 그녀와 이혼을 결정하게 된다. 그 사건으로 인한 충격으로 그녀는 2년 동안 정신병원에 수용되어 생활하게 된다. 퇴원 후 로라 키엘러는 남편의 권유로 다시 가족에게 돌아가 함께 생활하게 되고 추후 유명한 작가로 활동하게 되는 것이다. 입센은 로라 키엘러가 정신병원에 수용되었을 때 『인형의 집』을 쓰게 된다. 그는 사건의 밑바닥에 짙게 깔려 있는 남녀에게 불평등하게 주어지는 사회적 권리와 여성에게만 적용되는 불합리한 사회적 잣대를 매우 직접적으로 다루고 있다. 그리고 그는 로라 키엘러의 수치스러웠던 정신병원 수용 대신 진실 된 자아를 찾기 위해 사회적 편견과 불확실한 미래에도 불구하고 자유의지로 가정을 떠나는 노라 헬메르를 그려낸다. 어찌 보면 미래의 의식변화에 대한 입센의 선견지명이었을 것이며 동시에 노르웨이 중산층의 의식변화를 촉구하고자 하는 움직임이었을 것이다.

19세기 말 노르웨이는 목재산업과 농업의 발달로 경제적 호황을 누리고 있었다. 노르웨이의 상선들은 급성장했고 미국과 영국에 이어 세계 3위의 규모를 자랑하던 시기이다. 『인형의 집』의 배경인 1879년 노르웨이의 한 도시는 같은 시기의 다른 작품들처럼 특정도시를 일컬어 도시화 혹은 산업화를 작품의 배경이자 사건발달의 주요요인으로 사용하기보다는 19세기 말엽의 노르웨이를 포괄적으로 다루려고 함을 알 수 있다. 만일 체홉과 같이 명확한 도시 명을 언급했다면 우리의 해석은 달랐을 것이다. 도시화와 신흥계급의 탄생 생산과정과 경제구조의 변화 등에 중점을 두었을 것이며 작가는 이것을 어떻게 작품에 반영했는지를 살펴봤을 것이기 때문이다. 하지만 헨릭 입센은 『인형의 집』에서 문화적 의식개선 문제에 보다 직접적으로 접근하기 위해 '노르웨이의 한 도시'를 배경으로 택하고 1879년을 명확하게 표기하여 보편적이면서도 상징적인 시대와 문화를 강조하고자 하였다. 작품에서 작가는 19세기 말 노르웨이 기혼여성의 삶과 권리에 대한 이야기를 다루고 있다. 변호사라는 직업을 부여하고 승진과 연봉에 대한 이야기로 극을 시작한다. 그 시대 중산층의 이야기를 다루는 것임을 명확하게 하는 것이다. 중산층의 의식구조를 이해해야만 작품에 나오는 인물들을 이해할 수 있다. 당시 노르웨이는 남성위주의 사회로 여성에게는 한정된 사회활동과 자아실현의 기회만이 주어졌다. 입센 본인은 페미니스트 연극이라는 비평에 수긍하지 않지만 『인형의 집』은 1879년 12월 덴마크 로열 씨어터(The Royal Theatre)에서의 초연 당시 사회적으로 커다란 반향을 일으켰다.[14] 공연을 본 관객들은 작품을 변기와 오물에 비교하며 외설적이라 폄하했다. 입센의 작품을 본다는 것 자체가 악의적 행위였으며 사회적으로 지탄받을 행동이었던 것이다. 입센은 작품에서 중산층의 사고방식은 변해야 한다고 제안하고 있다. 중산층 남성에게 있어서의 사회적 명성과 성공 그리고 돈의 관계는 그의 정체성이라고 말해도 과언이 아니었던 그 시대 중산층 가장들은 모든 의무에 충실했으며 사회에 대한 의무와 가족에 대한 의무를 완벽하게 수행하는 토르발트 헬메르와 같은 사람들이었다. 그들에게 있어서 돈을 번다는 것은 무엇보다도 중요한 것이고 소비 가능한 재산은 중산층에게 있어서는 힘이며 자유이다. 아내의 역할은 남자에게 부여된 가족에 대한 의무에 세부적인 그림을 완성시키는 것에 있었다. 아내는 가정을 아늑하고 행복한 공간으로 꾸며야 했으며 남편이 편안한 휴식을 취할 수 있도록 해야 했다. 그들에게 자기 자신에 대한 의무는 절대적인 것이 아니었던 것이다. 입센은 극을 통해 인간의 가장 중요한 의무는 자기 자신에게 있음을 말하고 있다. 어쩌면 집을 떠나는 노라를 통해 그는 이러한 사고의 개혁을 위해서 전통적의미의 가정은 깨져야 하며 가부장적인 남편의 존재는 사라져야 한다고 말하고 있는지도 모른다. 이러한 입센의 메시지는 1879년의 노르웨이 중산층에겐 사뭇 폭력적이었을 수도 있을 것이다. 그러나 일부 중산층 관객들은 그들의 자화상을 인지하였으며 사회적 통념으로 자리 잡은 결혼과 남성우월주의 그리고 심지어 사랑과 우정에 대한 고찰이 시작되는 계기가 된 것이다. 물론, 여성인권운동이 입센에 의해서 시작된 것은 아니다. 노르웨이의 여성인권운동이 19세기 초 처음 시작된 지 약 100년만인 1913년 여성참정권이 인정되어 법제화 되었다. 그러나 입센의 『인형의 집』을 통한 여성문제의 연구와 사회적 성찰은 지금까지도 계속되고 있으며 21세기를 살아가는 우리들에게도 커다란 울림을 주고 있다.

(2) 작품의 주제

"현대 사회에서 여성은 온전히 자기 자신일 수가 없다"?[16]

『인형의 집』은 사회적 통념과 성별에 따라 그 역할이 철저하게 구분되어 제한된 권리와 의무 속에 살아온 한 젊은 여성의 이야기를 담고 있다. 극은 그녀가 자신의 삶이 남편과 아버지 그리고 사회적 관념에 의해 지배당해 온 것이며 기대에 충족하기 위해 역할놀이를 하듯 가면을 쓰고 가식적으로 살아온 삶의 부조리를 깨닫는 과정을 다룬다. 노라는 아내와 엄마라는 역할을 완벽하게 수행해내는 19세기 유럽의 바람직한 여성상을 대표한다. 남편이 원하는 옷을 입고, 날씬하고 아름다운 외모를 유지하며, 사교모임에서 돋보여 남편을 즐겁게 해야 한다. 그녀는 원하는 것이 있으면 연약한 어린아이가 되어 애교를 부리거나 떼를 써서 그것을 얻어낸다. 그녀는 논리적 대화보다는 여성이라는 열등함과 무지함을 역이용하여 원하는 것을 취하는 것에 귀재이며 아이들을 위해 최선을 다해 밝고 아름다운 가정을 만들고자 노력한다. 그녀가 행하는 모든 행동의 기준은 남편인 토르발트에 의해서 만들어진다. 토르발트의 기준대로 그가 원하는 가정을 꾸미는 것이 그녀를 행복하게 하는 절대적 요건이며 그녀의 의무인 것이다. 그러나 토르발트는 노라를 그와 동등한 인격체로 대하지 않으며 그녀의 삶을 조정한다. 끊임없이 지속되는 노라의 습관과 외모에 대한 지

16. 입센이 1878년 10월 19일 로마에서 적어놓은 메모, "A woman cannot be herself in modern society." Ibsen, "Notes for a Modern Tragedy"; quoted by Meyer (1967, 466)

적과 어린아이를 다루듯 부르는 애칭은 친절한 듯 강압적인 분위기를 조성하고 노라는 특유의 발랄함과 재치로 당연한 듯 본인의 역할에 최선을 다한다. 그러나 그녀의 어린 시절 친구인 린데의 등장으로 극은 갈등의 전막을 알리며 채권자인 크로그스타트의 등장으로 본격적으로 갈등이 고조되기 시작한다. 아픈 남편의 요양비용을 마련하기 위해 아버지의 서명을 위조하여 크로그스타트에게 불법적으로 돈을 빌린 노라에게는 아내로써의 사명감과 사랑하는 사람들을 보호하고자 하는 명확한 논리가 있었으나 19세기 노르웨이의 여성들에게 주어진 제한된 법적 권리와 처벌에 대해서는 자세히 알지 못했다. 남편의 그녀에 대한 사랑에 무한한 신뢰를 가지고 있었던 노라는 사건의 전말을 알게 되었을 때 남편이 선택할 그의 희생을 막기 위해 끝까지 최선을 다하지만 남편이 그녀의 비밀을 알게 되었을 때의 예상치 못한 반응에 충격을 받게 된다. 『인형의 집』 제3막 토르발트가 편지를 읽은 후의 반응과 노라를 향한 태도와 폭언을 보면 그의 가치관을 명확하게 볼 수 있다.

〈토르발트와 노라 제3막〉

헬메르	이게 뭐지? 이 편지에 뭐가 쓰여 있는지 당신 알아요?
노라	네, 알아요. 가게 해주세요. 저를 떠나게 해주세요.
헬메르	(그녀를 잡으며) 어디를 가는 거지?
노라	(빠져 나오려 애쓰며) 저를 구하려고 하지 마세요, 토르발트!

헬메르 (불안정한 듯 뒤로 빼며) 사실이야? 내가 지금 읽은 것이

⇒ 노라가 예상한 것과는 달리 헬메르는 노라의 헌신적인 노력에 감사하고 본인의 희생으로 그녀를 보호하고자 하는 의도가 전혀 없다. 노라가 사실을 인정하듯 말하자 그녀와 거리를 둔다.

모두 사실이냐고? 끔찍하군! 아냐! 아냐! 그건 불가능해 그럴 리가 없어!

노라 사실이에요. 저는 당신을 이 세상 그 어느 것보다도 더 사랑했어요.

헬메르 오, 그런 **바보 같은 변명** 따위는 그만 둬!

⇒ 그는 그녀의 행동에 원동력이었던 사랑을 그저 바보 같은 변명으로 치부한다. 그의 사고는 이미 피해자로써의 본인에게로 초점이 맞춰졌다는 것을 볼 수 있다.

노라 (그에게 한 발 다가선다) 토르발트−!

헬메르 어리석은 여자 같으니라고− 도대체 무슨 짓을 한 거야!

노라 저를 가게 해주세요. **나 때문에 당신이 고통 받을 필요는 없어요. 당신이 책임지려고 하지 말아요.**

⇒ 노라는 헬메르의 사랑에 대한 확신으로 그의 진짜 모습을 보지 못한다.

헬메르 **연극 따위는 집어치워!** (문을 잠근다) 여기 서서 나한테

⇒ 노라의 희생과 헌신을 보기 보다는 가해자로써의 노라에게 폭력적 언행을 하고 있다. 노라의 예상이 어긋나가는 것이 확실하게 전달되고 있으며 그의 가치관에 대한 명확한 증거들이 나열된다.

설명해봐. 당신이 무슨 짓을 했는지 이해가 돼? 대답해 봐! 당신이 무슨 짓을 했는지 아냐고!

노라 (얼굴 표정이 점점 차가워지며 그를 똑바로 응시한 채) 네, 이제 정확하게 제가 어떤 짓을 했는지 알 것 같아요.

헬메르 (방 안을 서성이며) 정말 소름끼치는 현실이야! **지난 8**

년 동안 나의 즐거움이고 자랑이었던 당신이 위선자라니, 거짓말쟁이–

⇒ 토르발트는 노라를 마치 그의 소유물인 듯 표현하며 당시의 법이 그러하듯 여성의 독립적 사고와 행동을 배신과 가해로 보고 있다. 그의 폭언은 그녀에서 그녀의 삶의 현주소를 알려준다.

아니, **범죄자!** 입에 담을 수도 없는 추악한 진실이 드러나는군! 수치스러워! 수치스럽다고! (노라, 말없이 그를 응시하고 있다. 헬메르, 그녀 앞에 멈춰 선다) 이런 일이 일어날 줄 알았어야 해. 내가 미리 생각했어야 했던 거야. 당신 아버지의 그 경박한 가치관– 조용히 해!– 당신 **아버지의 그 경박함을 당신도 물려받았거든. 종교도, 도덕적 기준도, 책임감도 없는– 내가 당신 아버지를 봐준 것 때문에 벌을 받는 거야.** 난 당신을 위해서 그렇게 했는데 당신은 이런 식으로 그 보답을 한단 말이야.

⇒ 유전적 책임을 묻고 있는 그는 선택적으로 행해진 사건에 대한 원인을 유전적으로 보고 그녀의 가치관과 배경을 탓한다. 시대를 대변하는 전형적 가치관을 보여준다.

노라 네, 바로 그거예요.

헬메르 당신은 나의 모든 행복을 파괴시켰어. **내 미래를 모두 망쳐버렸어.** 생각만 해도 끔찍한 일을! 나는 이제

⇒ 그가 이 사건을 바라보는 중심이 그대로 드러난다. 그는 그의 미래만을 걱정하고 있다.

그 악랄한 자의 손아귀에 있단 말야. 나를 원하는 데로 조정하겠지, 원하는 걸 모두 하게 할 테고 나에게

지시를 하겠지— 난 거절할 수 없을 테고. **난 아무 생각 없는 여자 하나 때문에 바닥으로 떨어져 가라앉게 된 거라고!**

⇒ 사건에 의해 고통 받을 그의 사회생활을 인생의 전부로 인식하여 극단적 비관론을 펼치고 있다. 그녀의 헌신과 사랑의 결과는 그의 추락이라는 결론을 내려주고 있다.

그는 사랑하는 사람의 고통과 안전보다는 그의 실추된 명예를 걱정하며 그녀를 무참히 공격한다. 토르발트 헬메르가 보여주는 잔인함과 폭력성에 노라는 8년간의 결혼생활과 본인의 노력이 결국은 모두 거짓 위에 세워진 가정을 위한 것이라는 사실을 깨닫고 여성으로써 부여받은 역할과 의무가 아닌 자기 자신의 가치와 의미 있는 삶을 찾아 집을 떠나게 된다. 이러한 갈등과 주인공인 노라의 행동에서 주제를 도출할 수 있다. 엄마와 아내로써의 역할을 성공적으로 해냈다고 굳게 믿던 한 여성의 삶이 결국 허상으로 드러나는 과정에서 19세기 말 여성에게 불평등하게 부여되었던 의무와 상대적으로 그 존재가 미비했던 여성의 권리 그리고 그 깨달음의 범주 안에서 보이는 것과 진실 사이의 간극을 찾을 수 있을 것이다. 진정한 자유란 무엇인지 자아실현의 기준점에 따라 달라지는 것은 아닌지 고민해 봐야 하는 것이다. 노라는 금전적 여유가 자유를 줄 것이라는 희망으로 극을 시작한다. 그러나 결국 노라가 갈구하던 자유와 행복이라는 것은 노라를 위한 것이 아니었으며 다른 사람에 대한 혹은 사회에 대한 의무 이행보다 더 중요한 것은 자신에 대한 의무를 이행하는 것이라는 점을 깨닫게 되는 것이다. 작품이 발표된 지 142년이 지난 지금 우리는 작품의 주제를 도출하기 위해 '노라가 꿈꿔왔던 자유는 누구에게 귀속되어있던 것일까?' '노라가 찾아 떠나는 것은 과연 찾아질까?' '지금의 우리는 얼마나 다른 문화 속에 살고 있을까?' '현대사회는 여성에게 합리적 의무를 부여하고 상응하는 권리를 보장하고 있는가? 등의 질문을 할 수 있을 것이며 이 시대를 살아가고 있는 우리에게 작품이 갖는 의미는 무엇인지 논의해볼 수 있을 것이다.

(3) 플롯의 이해(장면의 기능)

이야기는 어떤 골격 위에 살을 붙여 만들어진 것인가?

총 3막으로 구성되어 있는 입센의 『인형의 집』은 각 막별로 명확한 서술적 전개의 구조를 만들고 있으며 개연성 짙은 장면들로만 구성이 되어 있다. 린데와 크로그스타트의 서브플롯이 존재하는 듯 하지만 두 사람의 이야기는 메인플롯의 해결점 역할을 하며 독립적으로 존재하지 않는다. 그렇게 하여 『인형의 집』의 구성은 전형적인 플롯 구성도표의 흐름과 거의 완벽한 일치를 보이고 있다. 작품은 3막으로 구성되어 있으나 인물의 의도와 구성상의 변화가 일어나는 부분은 반드시 장막으로 구분되는 것은 아니라는 것을 인지하고 이야기 구조의 변환 점들을 찾는 것이 중요하다. 인물의 등퇴장에 의해 큰 구분점을 만들어 장면을 구분하고 인물 간의 대화 속 변화지점과 서술의 전환에 따라 플롯의 흐름을 파악할 수 있다. 플롯의 구성을 파악함으로 극의 구조 속 장면의 기능은 더욱 명확해지며 연기자는 사건의 전개와 함께하는 인물의 목적에 따른 사고의 흐름과 행동의 변화에 부합하는 더욱 민감하고 구체적인 표현을 도출할 수 있는 것이다.

1막(Act I)에서는 노라의 단란한 가정이 소개된다. 노라, 토르발트, 랑크 박사, 아이들, 하녀들이 즐거운 한 때를 보내는 등 그들의 일상이 그려지며 좋은 엄마, 매혹적인 여자, 그리고 충실한 아내로써의 노라 헬메르가 소개되고 추후 갈등의 원인 혹은 매개체로 작용될 인물들 또한 등장한다. 결혼과 함께 도시를 떠났던 노라의 어릴 적 친구 린데가 돌아오고 근황을 주고받는 린데와의 대화에서 우리는 갈등의 요소가 될 수 있는 차용된 돈에 대한 정보를 얻게 된다. 이내 크로그스타트가 등장해 노라가 남편의 허락 없이 빌린 돈에 대한 차용증 그리고 위조된 아버지의 서명을 빌미로 노라를 협박하는 것으로 갈등이 소개된다.

2막(Act II)에서 노라는 크로그스타트의 협박을 남편 모르게 해결하고자 노력한다. 토르발트에게 크로그스타트가 은행에서 계속 일을 할 수 있도록 하자고 설득하지만 이미 결정은 내려진 상태이고 토르발트는 크로그스타트의 해임사실을 그에게 알린다. 가족의 오랜 친구인 랑크 박사에게 도움을 요청하려 하지만 그는 악화된 그의 건강상태를 전하며 갑작스럽게 그녀에게 사랑을 고백하고 노라는 결국 그에게 도움을 청하지 못한다. 노라는 해임 사실을 전달 받고 다시 찾아온 크로그스타트를 설득하는 것에도 실패하게 되고 결국은 린데 부인에게 도움을 요청하게 됨으로 갈등은 고조된다.

3막(Act III)에서 헬메르의 집에서 재회한 린데와 크로그스타트는 재결합하게 되고 노라는 최대한 시간을 끌기 위해 노력하지만 토르발트는 결국 편지를 읽고 만다. 사건의 전말을 알게 된 토르발트는 노라의 예상과는 달리 실추된 명예와 평판에 대해 분노하며 노라를 비난하고 극은 절정으로 치닫는다. 크로그스타트가 린데와 재결합하게 되면서 그는 차용증을 돌려주기로 마음먹게 된다. 이로써 갈등이 해소되는듯하지만 삶의 허상과 자아의 부재에 대한 깨달음으로 노라는 가정을 떠나기로 마음먹는다. 극은 토르발트와의 긴 대화 후 노라가 집을 나서는 것으로 결말지어진다.

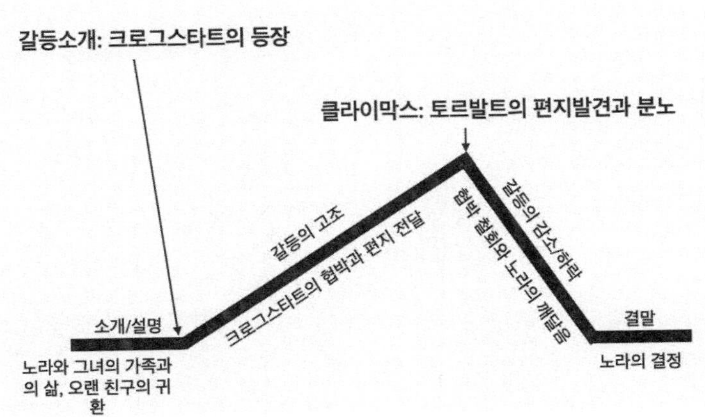

스토리 전개의 서술적 구조를 아래와 같이 표로 정리하여 흐름을 명확히 이해할 수 있다.

위와 같이 극의 서술적 전개를 구조화 하여 플롯 구성표를 만들고 각각의 막 혹은 장이 가진 구조상의 기능을 파악하는데 기준으로 활용할 수 있다.

(4) 작품의 중추행동

노라는 극에서 무엇을 추구하는가?

주제에서 보이는 것과 같이 19세기 후반 노르웨이의 기혼여성인 노라는 그 시대 여성의 가장 이상적인 가치관을 갖고 완벽한 가정을 꾸려나간다. 그녀의 모든 가치관과 성취감은 완벽한 가정과 직결된 것이고 그녀를 행복하게 하는 가장 중요한 요소이다. 그녀는 그녀의 행복한 가정을 지키고자 끊임없이 노력한다. 그러나 진정한 자신이라고 믿었던 것이 결국 자의에 의해 운영된 자아가 아니었음을 깨닫고 행복인 줄 알았던 것이 주입된 개념으로 그저 행복이라고 믿으며 살아왔다는 그녀의 말이 그것을 입증한다. 그녀에게 행복의 주체는 가족이며 가족의 중심에는 남편인 토르발트 헬메르가 있다. 토르발트 헬메르의 기준으로 이상적인 가정과 행복의 정의가 내려지고 노라는 아내로써 최선을 다해 가정의 행복을 위한 밸런스를 찾기 위해 노력하는 것이다. 그러나 극 후반 그녀의 깨달음으로 행복추구의 중심에 그녀가 서게 된다. 『인형의 집』의 경우는 주인공의 중추행동 자체에 주제가 직결되어 운용되고 있기 때문에 중추행동이 주제의 여정을 그대로 담고 있다. 중산층 기혼여성의 현실 자각과 깨달음 그리고 자아를 찾기 위한 새 출발의 과정을 담아내고 있는 것이다. 중요한 것은 중추행동의 경로에 설치되어 있는 상징적인 요소들을 찾아 인물이 지키고자 하는 가치와 실질적인 장애물을 구분하는 것이며 단계별/요소별 표현에 전체적인 분위기를 씌우기보다는 상징적 요소들을 도출하여 각 단계별 상징성과 의미를 명확하게 구분하고 강조하여 전달할 수 있는 방법을 찾는 것이다. 『인형의 집』에 나오는 대표적인 상징적 요소들은 크게 결혼, 헌신적인 여성, 엄마로써 그리고 아내로써의 의무, 평판, 표리부동, 거짓, 성 역할의 구분과 마찰 등 7가지 정도로 도출할 수 있다.

'결혼'

19세기 후반 노르웨이, 노라와 토르발트 헬메르의 전형적인 결혼 형태 그리고 가족이 소개된다. 집에서 아이들을 돌보고 교육하며 집안일을 하는 여성과 바깥에서 일을 하고 가족들을 위해 경제적인 기반을 마련하는 남성 그리고 행복하고 건강한 아이들이다. 작품 속엔 겉으로 보기엔 너무나도 완벽해 보이는 이들의 결혼생활에 대한 진실이 드러나는 과정이 담겨있다. 반면, 크로그스타트와 린데의 결혼은 헬메르와는 다른 조합을 보여준다. 과거 연인관계였던 두 사람은 경제적 이유로 각자의 길을 걷게 된다. 좌절감과 상실감으로 파괴적 삶을 살아온 크로그스타트와 사랑과 희생, 그리고 헌신의 대상을 찾아 극도의 외로움과 인생의 허무함에서 벗어나고자 했던 린데는 각자의 위치에서 전통적 결혼과 가정의 개념에서 탈피해 남녀의 역할에 얽매이지 않는 선택을 한다. 두 사람의 재결합은 진솔한 대화를 통해 이루어진다. 가정이라는 공동체의 두 주축으로써의 여성과 남성이라는 변혁에 대한 요구가 반영되어 있는 것이다. 배경이 되는 시대의 가장 이상적인 가정과 그들의 가치관 그리고 남편과 아내가 보여야 한다.

'헌신적인 여성'

남편의 목숨을 구하기 위한 요양을 떠나기 위해 저지른 노라의 불법 차용과 서명위조는 그녀의 헌신적인 면모를 보여주는 부분이며 노라는 그 후로 끊임없이 빚을 갚기 위해 그리고 토르발트에게 비밀을 유지하기 위해 노력한다. 노라의 철없는 모습에 가려지기 쉬운 이러한 헌신적인 여성의 모습은 그녀의 여정에 매우 중요한 출발점이다. 그녀가 친구인 린데에게 이야기 하듯 죽음을 앞둔 아버지와 만삭인 그녀 자신보다도 그리고 태어날 아이보다도 중요했던 남편의 건강은 그녀의 헌신적인 아내로써의 모습을 강조하고 있다. 또한, 19세기말 노르웨이의 전형적이며 이상적인 남편 토르발트 헬메르는 아내의 어떠한 경제적 도움도 용납할 수 없고 사회는 여성이 남편의 허락 없이 돈을 빌릴 수 없도록 하고 있다. 이 두 가지 전제는 노라를 고스란히 크로그스타트의 협박에 노출시킨다는 부분이 그녀의 여정에서 잘 보이도록 해야 한다. 노라는 이 사실을 알고 있음에도 불구하고 남편을 구하고자 하는 간절함에 의해 불법행위를 하는 것이지 무지에 의해 일을 저지르는 것이 아니기 때문이다. 또한 크로그스타트의 협박에도 그녀는 토르발트 헬메르를 보호하기 위해 끝까지 비밀리에 이 사건을 해결하고자 한다. 그도 노라와 같은 희생과 헌신으로 모든 것을 포기하고 그녀의 희생과 노력에 감사하며 사건에 대한 책임을 질 거라는 생각을 하기 때문이다.

'엄마로써 그리고 아내로써의 의무'

노라 헬메르는 1막에서 남편과의 일상에서도 아이들과의 놀이시간에서도 최선을 다해 본인의 맡은 바 역할을 훌륭하게 해내며 행복해 한다. 3장에서 보이는 노라의 존재가치와 삶의 선택에 대한 깨달음은 아직 오지 않은 상태이며 그녀의 역할연기는 자신도 속을 만큼 훌륭하다. 의무를 충실히 이행하고 만족스러워 하는 가족들의 반응에 행복감과 보람을 느끼는 노라는 스스로에게 최고의 아내이며 엄마라는 타이틀을 서슴없이 부여할 것이다. 19세기 유럽의 충실한 엄마이며 아내가 형상화되어야 할 것이고 그렇게 최선을 다하는 그녀인 만큼 랑크 박사와의 대화에서 언급되는 범죄자들과 거짓말하는 엄마의 상관관계나 토르발트의 즉각적인 아이들과의 격리조치 언급은 노라의 입장에서는 커다란 압박이며 손실로 작용할 것이다.

'표리부동'

극 중 등장인물들은 보이는 것과는 사뭇 다른 인물들이다. 그들은 각기 말 못할 사정이 있다. 극 초반에 관객 혹은 독자들이 받는 인상과는 다른 인물들의 진실을 마주하게 되는 것이다. 단순하고, 어린아이 같은 순진함과 동시에 철없는 물질주의 중산층 주부로 보이는 노라는 극이 진행될수록 그녀의 진짜 모습을 보여준다. 사회와 아버지 남편에게 길들여진 본인의 모습을 스스로 바라보게 되는 과정에서 그녀는 강인하며 독립적이고 현명한 현대여성으로써의 자신을 찾게 되는 것이다. 반대로 토르발트는 초기 다정하고 현명한 이상적인 가장이며 남편의 모습에서 점차 편협하고 이기적인 어린아이 같은 모습으로 그 실체를 드러내고 있다. 따라서 연기자는 형상화 과정에서 플롯의 흐름에 따라 인물의 실체가 드러나는 과정을 보여주어야 할 것이다.

'평판'

극에 등장하는 주요 인물들은 모두 사회적 평판에 대해 이야기한다. 그만큼 시대의 중요한 가치기준인 것이다. 인물들을 향한 사회적 평판은 그들의 부모세대부터 물려받은 것으로 지속적으로 그들을 이름표처럼 따라다니는 하나의 족쇄와 같은 것이다. 토르발트는 평판의 하락에 대한 두려움으로 아내를 서슴없이 폄하한다. 인물들은 아이들에게 물려주게 될 평판을 걱정하고 크로그스타트는 본인의 행동으로 만들어진 평판에 괴로워하며 명예를 되찾을 수 있는 기회를 모색한다. 그들의 세상에 사회적 평판이라는 것은 커다란 부담이며 가치판단의 기준이 되는 것이다. 인물을 형상화함에 있어 세계관과도 직결되며 세부장면에서도 중요한 역할을 하는 '평판'에 얽힌 세부 단계별 구체적 갈등과 반응에 인물의 견해가 명확하게 반영되어야 하는 것이다.

'거짓'

『인형의 집』에서 가장 많이 등장하는 키워드를 꼽는다면 아마도 거짓일 것이다. 그만큼 등장인물들은 각기 다른 거짓 속에 진실을 은폐하고 있다. 노라는 충실한 아내로써 그리고 엄마로써 최선의 모습을 보이기 위해 끊임없이 역할가면을 착용한다. 노라는 진실된 자아를 잃어버린 지 오래고 사실을 깨달았을 때 노라는 자신의 인생이 모두 거짓이었음을 확인하게 되는 것이다. 극을 이끌고 가는 주요 사건의 전개 또한 노라의 거짓에 의해 시작된다. 린데의 선택으로 모든 거짓은 그 가면을 벗고 인물들은 진실을 마주하게 되는 것이다. 노라의 지속적인 거짓의 기반에 사회적 통념과 시대가 요구하는 여성상 그리고 개인의 행복추구 사이의 괴리에서 오는 절대성이 있다는 것을 간과해서는 안 될 것이다. 진실로 여겨지고 모든 관련인물들에 의해 그대로 수용되어진 그녀의 거짓된 삶을 그녀가 깨닫기 전에 그녀를 만들어내는 연기자에 의해 먼저 거짓으로 표현되는 오류를 범해서는 안 되기 때문이다.

'성 역할의 구분과 마찰'

헬메르 가는 전형적인 성 역할이 준수되는 가정이다. 사회적 통념에 의해 규정된 성별에 따른 이상적인 성향과 기준 그리고 기대 역할은 여성과 남성 모두를 성 관념의 피해자로 만든다. 여성들은 모두 일정 나이가 되면 결혼을 하고 아이를 낳고 집에 머무르며 아이들을 키우고 남편의 뒷바라지를 할 것으로 여겨진다. 여성이 특정 직업을 가지고 일을 한다는 것은 '남자 같다'는 편견의 대상이며 여성들에게는 공평한 기회가 주어지지 않는다. 여성들은 아버지에서 남편으로 이어지는 보살핌을 받는 것이 당연시 된다. 아버지 혹은 남편이 없이 경제적인 문제를 해결할 수는 없는 것이며 그러한 이유로 린데도 돈 많은 남편과의 결혼을 위해 크로그스타트를 떠나 가족을 부양하고자 한 것이다. 남성들도 마찬가지이다. 남자로써의 명분과 자존심 때문에 다른 사람의 도움을 받지 못하고 실수를 수정할 수 없으며 심지어 아내의 도움을 받는 것마저도 금기시 된다. 이러한 남편의 자존심을 살리기 위해 노라는 거짓말을 하게 되고 그의 자부심에 더 큰 상처를 남기게 된다. 결국 토르발트는 아내가 남자로써의 사회적 명성이나 평판보다 중요함을 깨닫지 못하게 되는 것이다. 연기자의 형상화 과정에서 주의해야 할 부분은 토르발트 헬메르를 악의적인 인물로 인식하는 것이다. 토르발트 헬메르는 자신의 상식과 지식범위 내에서 최선을 다하는 19세기 말 유럽의 가장 이상적인 남편이다.

각 상징적 요소들은 상호보완적으로 혹은 독립적으로 주인공의 여정에 스며들어 있으며 이러한 부분들은 인물형상화의 단계별 목표와 형상화 포인트에 적용되어 명확하게 가치부여가 되어 표현되어야 하는 부분들이다. 노라의 여정에 가치관의 대립과 갈등 고조의 원인 등에서 소개되는 이러한 개념들은 극을 만드는 주요 요소들로 작용하고 있으며 주제를 표명하는데 개념적 도구로 쓰이고 있는 것이다. 연기자의 인물형상화 작업에서 반드시 반영되어야 하는 이 상징적 요소들은 인물의 가치관을 명확하게 하고 목표를 향해 다가가고 있는 인물을 보다 구체적으로 표현할 수 있는 중추행동의 단계별 발전과정에 중요한 요소로 작용한다.

(5) 작품 속 인물들의 관계 및 기능

그들은 각각 어떤 기능을 가지고 함께 이야기를 구성하고 있는가?

노라 헬메르(Nora Helmer)

극의 주인공(프로타고니스트)이며 보통사람의 성격적 특성을 가진 노라는 많은 사람들이 공감할 수 있는 보통사람의 성향을 보인다. 작가는 의도적으로 전형적인 '귀족 이상의 인물의 비극적 운명'의 이야기에서 벗어난 일반 시민들의 이야기를 하고 있으며 결혼과 성불평등 등의 실질적인 문제를 다루기 위해 중산층 가정주부 노라 헬메르를 중추행동을 이끌고 나가는 주인공으로 삼은 것이다. 일반인들의 이야기를 다루는 것은 사실주의 연극의 가장 큰 특징 중 하나이기도 하다. 노라는 훌륭한 엄마고 충실한 아내이다. 남편의 핀잔 섞인 잔소리에 애교로 응대하며 끊임없는 간섭과 구속도 사랑과 보살핌으로 받아들이고 흡사 어린아이와 같은 역할놀이를 즐긴다. 노라는 본인까지도 속일 정도로 이러한 역할놀이가 자신을 행복하게 한다고 믿는다. 노라 헬메르는 자신이 속한 사회에 최적화 된 선택을 한 인물이다. 그러면서도 어릴 적 이야기 중 그녀가 아버지의 간섭과 끊임없는 가르

침을 피해 하인들과 시간을 보낸 점과 남편과의 불완전한 소통방식에 돌출구로 랑크 박사와 보다 솔직한 대화를 나눈 점들을 봤을 때 그녀의 성향이 순종적이지 않음을 알 수 있다. 다시 말해서, 그녀의 변화는 사회적 통념에 순응하기 전 원래의 모습대로 살아가고자 가면을 벗는 과정이라고 해석할 수도 있다는 것이다. 그녀는 충실하게 본인의 역할을 이행하지만 극 중 사건을 통해 본인이 지키려고 했던 가정과 남편이 결국 그녀의 상상 속에서만 존재해 왔음을 깨닫고 좌절하여 진정한 자아를 찾아 그녀의 극 중 대사처럼 다른 사람도 소속된 사회도 아닌 '자신에 대한 의무'를 다하기 위해 떠나게 되는 것이다. 노라는 전형적인 사실주의 드라마의 주인공으로 이상적 현실에서 현실의 자각으로 이르는 인물이다.

토르발트 헬메르(Torvald Helmer)

극의 대립인물(안타고니스트)로 등장하며 역시 보통사람이지만 통치자의 성격적 특징 또한 가지고 있다. 전형적인 19세기 후반 남성위주 사회의 가장 보편적이면서도 이상적인 남성이며 열심히 일을 해서 행복한 가정을 갖고 남성으로써 아내를 보호하고 가르쳐야 한다고 생각한다. 그러나 행복한 가정보다 더 중요한 것은 사회적 성공과 자신에 대한 좋은 평판 그리고 명예이며 그 가치가 훼손될 경우 밸런스를 잃고 폭력적으로 대응한다. 여성의 역할에 대한 제한적 생각을 가지고 있으며 노라를 어린애 다루듯 하고 아내를 경시하는 듯 보일 수 있는 여러 가지의 애칭을 사용하지만 실상 극 중 그의 중요한 선택들은 대부분 그가 표명하는 것보다는 단순한 감정적 원인인 경우가 많아 경직되고 자기중심적인 사고방식을 가진 인물인 것을 알 수 있다.

닐스 크로그스타트(Nils Krogstad)

극 중 두 번째 대립인물(안타고니스트)로 토르발트 헬메르와는 달리 극 초기에 갈등을 제공하고 사회문화 속 법규화 되어 있는 여성 불평등을 헬메르 가로 가져와 개인화시키는 역할을 한다. 크로그스타트 또한 보통사람이면서 무법자의 성격적 특징을 보인다. 그러나 그의 악행은 가정과 평판을 지키기 위한 절박함에서 나오는 것이며 그는 사회의 잘못된 관습을 이용하는 것이라는 해석이 가능하다. 과거에 크리스틴 린데와 연인관계였던 닐스 크로그스타트는 가정형편 때문에 돈 많은 남자를 택하고 그를 버린 린데에 의해 악의적이며 비관적인 시각으로 사회를 바라보게 된다. 상실감에 의한 분노로 불행한 결혼생활을 이어가며 도덕적 기준조차도 잃게 된 크로그스타트는 노라처럼 서명을 위조하였다가 발각되고 가까스로 감옥에 가는 것은 피하지만 그의 사회적 평판은 바닥으로 추락하고 만다. 다시는 벗어날 수 없는 범죄자 사기꾼이라는 오명을 쓴 그는 아이들을 위해서 사회적 족쇄를 풀고 그의 명예를 되찾고자 노력하는 것이다. 악의적 목적을 두고 악행을 저지르는 전형적인 빌런과는 다른 인물이라는 것을 알 수 있다.

크리스틴 린데(Mrs. Christine Linde)

극 중 의지할 수 있는 친구(컨피탄트)의 기능을 하면서 현자의 성격적 특징을 가지고 있는 인물이다. 노라의 어릴 적 친구로 경제적 어려움 때문에 아픈 어머니와 어린 동생들을 돌 볼 수 없게 되자 사랑하는 사람을 떠나 물질적 풍요를 제공할 수 있는 남자와 결혼하고 자신을 희생하며 가족을 돌본다. 시간이 흘러 더 이상 돌볼 사람이 없는 지금, 크리스틴 린데는 그 어느 때보다도 삶의 방향성을 잃고 자신의 삶을 유의미하게 변화시켜 줄 수 있는 사랑과 헌신의 대상을 찾는다. 독립적 삶을 유지할 수 있는 그 시대에 찾기 어려운 경제적 능력을 가진 여성임에도 불구하고 그녀는 삶의 원동력을 잃은 것이다. 크로그스타트와의 재결합으로 린데는 경제권자이면서도 그의 아이들을 돌보는 엄마의 역할을 맡게 된다. 린데는 선택권을 가진 독립적 여성이면서도 사랑과 희생 그리고 헌신의 가치를 아는 여성상을 그려낸다. 그녀는 3막에서 노라에게 결혼이라는 것에 대한 의미와 남편과 아내의 바람직한 관계에 대한 제안을 한다. 노라의 깨달음은 린데가 떠난 후에 이루어지지만 극 중 크리스틴 린데는 시대적 요구에 의한 변화와 전통적 사고방식 사이에 연결고리를 만들어주는 인물로 해석될 수 있다.

랑크 박사(Dr. Rank)

극 중 들러리(듀터라고니스트)의 기능을 하는 랑크 박사는 순수한 성격적 특징을 보유한 인물이다. 토르발트 헬메르의 절친한 친구이며 몰래 노라를 사랑하는 랑크 박사는 비극적 운명과 사회적 모순에 순응적인 인물이며 노라와 토르발트 헬메르의 성향과 관계의 진실을 알고 있는 인물이다. 노라의 가치를 알고 그녀를 사랑하지만 범접할 수 없으며 노라도 전혀 받아들이지 않는다. 극 중 기능으로 보이지 않는 세부요소들을 무대화하는 매개체역할을 하며 상징적으로 산업화되어가는 현대사회에 발전 없이 제자리에 머물고 있는 지식인을 보여 주기도 하는 인물이다.

세 아이들: 이바르, 에미, 밥(Ivar, Emmy, Bob)

극 중 제 3의 인물로 정리될 수 있을 것이다. 이들은 극 중에서 노라와 토르발트 헬메르가 꾸려나가는 완벽한 가정의 실제 모델로 노라의 좋은 엄마로써의 환경을 구체화하고 역할 수행의 대상이 된다.

앤-마리(Anne-Marie)

헬메르 가의 아이들을 돌보는 역할로 제 3의 인물이면서 돌보는 자의 성격적 특성을 가지고 있다. 그녀 또한 경제적인 이유로 그녀의 딸을 버리고 노라를 키웠으며 진정으로 노라를 사랑하는 인물이다. 극 중 끊임없이 희생하는 여성 중에 하나다. 주인공의 환경에 구체성을 부여한다.

2. 인물의 세계관 이해하기

인물의 가치관

그들은 어떤 기준을 가지고 세상을 살아가는가?

작품의 시대적 역사적 배경과 작가의 작품세계를 이해한다는 것은 작품 속 인물들의 사고를 이해하는 과정이다. 그들의 사고방식을 이해하고 관점을 파악한 후 작품 속 인물의 여정을 보면 우리는 그들의 세계관을 도출할 수 있다. 세계관은 인물이 세계를 바라보는 관점이며 사회와 맺고 있는 관계를 대변하는 것이다. 인물이 가진 가치관을 만들어가는 데 가장 중요한 역할을 하는 요소인 것이다. 연기자들은 작품을 접하여 인물을 형상화 할 때 종종 인물을 이해할 수 없음에 당혹스러워 한다. 인물의 선택과 행동이 상식선에서 정당화되지 않기 때문이다. 그렇다고 해서 인물의 선택과 행동을 변경할 수는 없다. 작품에서 요구하는 이야기의 전개 방식과 방향을 연기자의 편의에 의해 변경할 수는 없는 것이기 때문이다. 인물을 이해하기 위해선 인물이 어떤 눈으로 세상을 바라보고 있는가를 이해해야 한다. 삶의 기준이 되는 세계관을 도출해야 하는 것이다. 쉬운 접근을 위해 TV 드라마에서 흔히 볼 수 있는 유형의 인물을 예로 들어 보자. 사랑을 인간의 삶에 최고 가치 있는 일이라고 생각하는 사람에게 사랑하는 사람과 헤어지고 부자로 행복하게 살 수 있는 선택을 할 수 있는 기회가 주어진다. 주인공은 절대 사랑을 포기할 수 없다. 그러나 가난이라는 장애물은 행동의 동기를 제공하고 결국 돈을 선택하고 만다. 그러나 삶은 공허하게 변질되어 결국은 돈의 가치는 그 기능을 다한 후 사라지게 되고 주인공은 사랑을 찾고자 다시 돌아오게 된다. 결국 인물의 가치관 혹은 세계관은 장애물에 의해 잠시 방법을 변경하였으나 결국은 원래의 가치관으로 복귀된다는 것이다. 왜냐하면 위의 드라마 속 인물은 다른 방식으로는 진정한 행복을 찾을 수 없었기 때문이다. 행복을 추구하는 방법을 바꾸고자 했지만 결국 세계관의 변화는 오지 않는 것이다. 물론 세계관의 변화가 생기는 경우의 작품도 존재하지만 기본 작품분석, 세계관의 도출, 그리고 이해의 단계를 거치는 것은 기본적으로 같은 성격을 가지고 있다. 이렇게 인간은 누구나 행복을 추구한다는 전제를 두고 봤을 때 인물들은 각각 다른 기준으로 행복을 추구한다고 말할 수 있다. 연기자로써 인물을 분석하고 형상화함에 있어

우리가 주의해야 할 것은 나의 삶의 기준에 빗대어 인물의 가치관과 행동양식 다시 말해 행복을 추구하는 방식을 평가해서는 안 될 것이다. 도덕성과 윤리성의 상식적이고 보편적 기준으로 인물을 분석하면 인물의 사고체계를 연기해낼 수 없기 때문이다. 인물을 행복하게 해주는 기준을 도출하여 여과 없이 형상화하는 것이 연기자의 임무이며 스토리텔링의 구조에서 인물의 기능을 도출하는 이유이다.

『인형의 집』을 예로 들어보자. 노라는 시대의 규범과 남편, 그리고 사회적 분위기에 의해 형성된 그 시대 여성의 의무를 철저히 이행하고 그에 자부심을 느끼는 인물이다. 노라는 완벽한 외모와 교양, 그리고 도덕성을 유지해야 한다. 아내로써 엄마로써 또 토르발트의 여자로써 모든 역할을 최선을 다해 이행한다. 그녀의 이러한 노력은 당연한 것이며 훌륭하게 수행할 시 그녀는 더 완벽한 여성으로 추앙받는다. 이상적인 19세기 노르웨이의 기혼여성인 노라는 본인의 가치를 앞서 언급한 역할의 충실한 이행에서 생성되는 쾌감을 통해 인정받는 것이다. 극의 마지막에 노라 헬메르는 서명위조와 차용증 사건을 통해 본인의 의지대로 살아온 삶의 대가에 대한 커다란 깨달음을 얻게 되며 오직 집을 떠나서만이 진정한 자신을 찾을 수 있음을 인지하고 낯선 세상으로의 첫발을 내딛는다. 많은 사람들은 『인형의 집』에서 노라의 세계관이 바뀐다고 해석해낸다. 하지만 세계관의 변화로 해석하기 보다는 방법의 변화로 이해하고 그녀의 선택을 바라봤을 때 1막에서부터 3막까지의 노라는 보다 설득력 있는 인물이 된다. 노라 헬메르는 아버지의 교육과 지적에서 자유롭고자 하인들과 시간을 보내던 인물이며 토르발트 헬메르의 규칙을 준수하기보다는 몰래 하고 싶은 것을 하고야마는 인물이다. 노라가 추구하는 행복한 삶의 기준을 충족하는 완벽한 가정의 꿈은 깨어진 상태라고 할지라도 1막에서 린데가 토로하고 있는 것과는 상반된 입장에서 노라의 선택을 바라본다면 노라는 같은 삶을 추구하지만 방법이 잘못된 것을 깨닫고 다른 방법으로 행복을 찾기 위해 떠나는 것이라고 볼 수 있을 것이다. 노라는 너무나도 익숙해져 버려 본인의 진짜 자아인 줄 알았던 가면을 벗는 것이고 본래의 모습을 찾아 자신에게 더욱 충실한 삶을 찾아 집을 떠나는 것이다. 다시 말해서, 가치 있는 삶을 영위하기 위해 가정을 떠나야 한다는 그녀의 말은 탐구를 의미하는 것이다.

노라 헬메르가 입센이 제안하는 변화를 이끌어가는 새로운 현대 여성의 대표모델이라면 토르발트 헬메르는 19세기 말 유럽남성의 가치관을 대표하는 인물이다. 그의 가치관은 입센이 작품을 통해 보여주고자 하는 잘못된 관습과 선입견 그리고 인습에 얽매인 남성위주 사회에서 고통 받는 남성들의 자화상인 것이다. 닐스 크로그스타트와 크리스틴 린데 등의 인물들도 시대를 대표하는 고착화된 사회적 관념과 성 불평등의 문제 등을 염두에 두고 보면 그들의 세계관을 도출할 수 있다. 크로그스타트와 린데의 재결합에서 그녀는 남성과 여성의 역할이 정해진 결혼생활이 아닌 모든 가능성을 열어 둔 가정을 제안하고 크로그스타트는 그녀의 제안을 받아들인다. 그들에게 있어서 사회적 통념보다도 우선시 된 가치는 신뢰와 사랑인 것이다. 이렇게 구조 속에서 인물들의 행동과 사회배경을 보면 세계관을 도출할 수 있다.

3. 인물의 초목표 찾기

각각의 인물은 무엇을 추구하는가?

초목표는 세계관에 입각하여 도출된다. 인물이 가지고 있는 행복의 정의를 찾는다고 생각하면 쉬울 것이다. 한 인물의 세계관을 이해하면 그 인물이 행복을 추구하기 위해 취하는 방법을 도출할 수 있고 그것은 인물의 초목표와 직결된다. 인물의 초목표는 그가 행복을 추구하기 위해 최우선으로 삼는 목표점이라고 말할 수 있을 것이다. 초목표의 도출은 인물의 세부목표가 가리키는 방향성을 도출하는 것으로 장면의 결과 혹은 전체 여정에서 보이는 행동의 결과가 인물의 방향성에 영향을 끼치는 것을 방지하기 위해 필요하다. 작품에서 보이는 사건의 결과가 인물의 목표는 아니기 때문이다. 많은 연기자들이 분석초기 작업에서 방향성을 잡는데 어려움을 겪곤 하는데 그 이유가 작품을 읽으면서 알게 되는 작품의 결과 때문인 경우가 많다. 이를테면 실패한다는 것을 알고 있기 때문에 인물이 취하는 노력의 방향이 우회적으로 변화하는 것이다. 이러한 분석은 인물이 목표를 향해 달리는 간절함과 의지를 약화하게 되고 극의 구조 속 인물의 기능을 다하지 못하는 결과를 초래하게 되는 것이다. 초목표를 도출하기 위해서는 작품 내 장애물을 배제하고 인물이 취하는 행동에서 그 원인과 지향점을 도출해야 한다. 극작가가 주제를 전달하기 위해 설치한 장애물들은 종종 인물이 초목표로 향해 달려가는 여정에 어려움을 제공하고 인물의 욕구를 더욱 강하게 만들곤 한다. 다시 말해서 작가가 설치한 장애물은 주제 전달을 강화하는 요소로 작용한다는 것이다. 극적 장애물과 같이 작가의 스토리텔링 기법에 의해 창작된 도구들은 인물이 초목표를 향해 매진하는 서술의 과정에 도구로 사용된다. 그 자체가 목표는 아닌 것이다. 그렇게 때문에 초목표에 극작가의 창의적 도구인 장애물, 구체적 사건, 혹은 인물이 포함되지 않도록 하는 것이 중요하다. 단계별 목표에서 활용될 수는 있으나 초목표로서 인물의 지향점 역할을 하기에는 지나치게 세분화되어 있기 때문이다. 초목표 도출에 있어서 이러한 전제는 연기자의 능동적 인물형상화에 매우 중요한 부분이다. 인물의 단계별 시도가 실패한다고 하더라도 인물의 방향성이 변경되지는 않기 때문이다. 결말을 알고 극 중 여정을 시작하는 현실의 세계의 연기자와 인물로써 극의 세계를 살아가는 연기자와의 구분점을 명확히 만들어 이미 알고 있는 결말을 인물형상화에 반영시키지 않도록 해야 하기 때문이다.

『인형의 집』에서 노라 헬메르는 학습에 의해 각인된 행복의 정의를 그대로 믿고 따른다. 그것은 그녀에게 있어서는 행복의 추구이며 삶의 밸런스를 찾기 위한 노력이다. 하지만 그녀의 삶이 진정한 자신의 가치를 인정받고 존중받으며 행복할 수 있는 선택이 아니었음을 깨닫고 집을 떠나 진정한 자아를 찾아 떠나기로 결정한다. 그녀의 초목표는 변하지 않는다. 다만, 방법이 틀렸음을 깨닫고 변경하는 것이다. 작가가 주제를 전달하기 위해 설치한 장애물에 커다란 깨달음을 얻는 노라는 방법을 변경하는 것이지 모든 것을 포기하는 것이 아니라는 것이다. 이러한 분석으로 인물을 형상화했을 때, 문을 열고 집을 나서는 노라의 뒷모습은 절망과 패배의 것이 아닌 새로운 도전을 향한 설렘과 두려움의 것일 것이다. 노라의 대립인물이자 통치자 원형의 특징을 가지고 있는 토르발트 헬메르는 기존하는 밸런스의 유지를 위해 노력한다. 그의 가치관에 중심에 있는 그의 사회적 성공과 명예는 그리고 그에 상응하는 권력과 체면은 무엇보다도 중요한 가치로 그의 행동과 사고방식 모든 분야에 영향을 끼친다. 토르발트가 크로그스타트를 은행에서 해고하고자 하는 가장 큰 원인이 그가 다른 사람들 앞에서 친근감을 표시하고 토르발트를 은행장으로 대접하지 않기 때문이라는 부분에서 그의 가치기준은 명확하게 드러난다. 그가 추구하는 바는 시대의 가치관에 입거한 완벽한 가정과 직장에서의 절대적 권위인 것이다. 감성적 가치와 가족의 진정한 소통 그리고 사랑이라는 면에서 그의 행동을 바라보면 더욱 더 그의 가치관은 명확하게 드러나는 것이다. 그에게 있어 가장 중요한 것은 가족도 사랑도 아니다. 행복한 가정과 순종적인 아내는 그를 완벽하고 이상적인 남성으로 만들어주는 하나의 요소에 불과하다. 토르발트 헬메르의 분노는 그가 만들어 놓은 완벽한 자신을 만드는 밸런스가 깨지는 것에서 촉발된다. 극의 막바지인 3막의 후반부에 노라와 토르발트 헬메르는 서로가 추구하는 바에 대한 솔직한 대화를 나눈다. 헬메르는 변화를 용인하지 않는 19세기 유럽의 사람들을 대변하며 노라의 선택이 그녀가 가진 의무를 저버리는 행위라 지탄하지만 그녀에게는 이미 더 소중한 자신에 대한 의무가 있는 것이다. 헬메르에게 있어 전통적 가치관은 타협 가능한 요소가 아니며 필수불가결한 삶의 기준이다. 전통적 형태의 결혼, 남자와 여자의 역할, 남녀 불평등 등의 요소들은 하나의 문화적 요소가 아닌 그들의 사회를 버티고 있는 밑바탕이기 때문이다. 경제적 여건이 뒷받침 되어 주지 않아 냉혹한 현실을 마주해야 했던 크리스틴 린데와 닐스 크로그스타트의 앞서가는 결혼관과 사랑관에 대한 견해와 목표 또한 노라와 토르발트 헬메르의 여정과의 연관성을 고려하여 도출할 수 있다. 노라와 토르발트 헬메르의 결혼생활과는 다른 두 인물의 관계 그리고 기대되는 가정에서의 역할을 비교해 보면 그들이 추구하는 행복을 찾을 수 있을 것이다. 극의 등장인물들은 각자의 기준으로 행복을 추구하기 위한 밸런스를 찾는다. 인물이 가진 결핍의 절박함과 초목표의 간절함을 찾아 인물형상화 작업에 활용하는 것과 같은 방식이라 보면 될 것이다. 하지만, 밸런스의 추구로 도출된 초목표는 세부 단계별 구체적 인물형상화의 기준으로 사용될 수 있으며 인물의 논리적 사고를 반영하여 행동 찾기에 활용하는데 훨씬 용이하다.

4. 인물의 여정 정리 및 단계별 목표 찾기

인물은 플롯의 구조에서 어떤 목적을 가지고 행동하는가?

본격적인 리허설 과정이 시작되어 행동 찾기에 들어가기 전 장면 내 단락을 나누어보는 것이 단계별 목표 찾기의 기본 작업이다. 비트 나누기 작업 이전의 기본 단락 나누기로 활용될 수 있는 이 단계의 작업은 리허설이 진행되며 변할 수 있기 때문에 구성상 명확하게 드러나 있는 작가의 의도를 파악하는 사건의 단계별 나열과 목표 도출 정도로 진행하고 열린 마음으로 현장작업에 임하는 것이 중요하다. 장면 내에서 해당 인물이 원하는 것을 이루기 위해 취하는 방법이 변하는 지점, 대화의 내용이 급격한 변화를 보이거나 인물의 상태가 변하는 지점을 찾는다. 플롯의 흐름에서 장, 막별 사건을 정리하여 도표화하는 방법도 있다. 서술적 흐름에서 구조적 세부단계를 도출하여 인물의 여정을 보다 효율적으로 표현하고 인물형상화를 구체화 할 수 있기 때문이다. 인물의 여정을 구조적으로 분리하여 보았을 때 도출되는 장면 내 인물이 원하는 바를 목표로 설정하는 것이다. 목표를 설정하는 것은 그 자체를 연기하기 위한 것이 아닌 목표를 이루기 위해 인물이 취하는 방법들을 도출하여 다양한 방식으로 구현해내기 위해서이다. 장면 내의 목표는 작품제작과정에서 변화할 수 있으며 분석결과와 제작의도에 따라 수정될 수 있다. 구체적 목표 도출에 있어서 잊지 말아야 할 것은 목표설정은 상징적인 작업이 아닌 인물의 신체적 음성적 선택의 기반으로 세부적 인물형상화 행동 찾기에 영향을 끼친다는 것이다. 다양한 방법으로 목표를 이루고자 하는 인물들이 만들어내는 장면은 다이내믹하게 발전해야 하며 지속적인 분석과 실험의 과정을 필요로 하기 때문이다.

다음은 『인형의 집』의 단계별 목표 도출 예시이다. 플롯상의 단계별 기능을 명시하고 주인공 노라를 예시로 사용하였다. 목표 도출은 커다란 방향성을 제시하여 작가가 의도한 주제표명의 범위에서 크게 벗어나지 않는 가이드라인을 제공하고자 하였으나 앞서 말한 바와 같이, 창작집단의 특성이나 방향성에 따라 변경될 수 있다.

단계별 목표 도출 예시(노라 헬메르)

	플롯	사건(인물의 여정)	목표(도출방향)
1막	소개 (인물, 배경)	행복한 아내 노라 자상한 남편 토르발트 유쾌한 친구 랑크 박사 귀여운 아이들 충실한 하녀들	매혹적인 여성이며 헌신적인 아내 그리고 최고의 엄마로써의 노라로 최선을 다하며 행복감과 성취감을 동시에 느끼는 단계이다. 완벽해 보이는 가정의 중심에 있는 노라 헬메르의 역할과 소개 단계에서의 기능을 중점에 두고 목표를 도출하는 것이 중요하다.
	갈등 소개	오랜만에 돌아온 어릴 적 친구 린데	많은 정보가 관객에서 노출되는 장면인 만큼 세부사항의 정보 전달기능을 할 수 있도록 진정성을 가진 서로의 관계의 중심을 잃지 않고 두 인물을 바라보는 것이 중요하다. 오랜만에 만난 린데와 노라의 대화 속에 노라가 취하는 방어적 자세의 원인을 분석하여 목표를 도출한다. (입센이 제안하는 여성상과 밀접한 관계가 있는 인물의 성향으로 분석할 수 있다.)
		차용증과 서명위조를 빌미로 협박하는 크로그스타트	노라는 크로그스타트의 상세한 설명에도 불구하고 사건의 심각성을 인지하지 못한다. 노라가 생각하는 크로그스타트와 문제 해결 방법들을 나열해 보고 그녀가 취하는 방법을 보면 노라가 어떤 목적을 가지고 행동하는지가 명확하게 드러난다.

2막	갈등 고조	토르발트 설득	이상적인 남편으로써의 토르발트를 믿고 그의 예상반응에 대한 확신을 가지고 있는 노라는 토르발트의 자발적인 명예훼손과 노라의 희생에 버금가는 그의 희생을 막고자 노력한다. 그녀가 목표하는 바는 그녀의 말과 행동에서 명확하게 드러나 있다. 그녀가 생각하는 완벽한 가정과 결혼의 가치관을 두고 구체적인 단계별 목표를 도출하는 것이 중요하다.
		랑크 박사에게 도움 요청	노라와 랑크 박사와의 우정에 기반이 무엇인지에 대한 고민이 필요하다. 노라는 랑크 박사의 고백에 놀라지 않는다. 노라가 예상하는 랑크 박사의 반응과 그녀의 결핍의 상관관계가 흥미롭게 펼쳐질 수 있는 장면이다. 노라가 랑크 박사에게 도움을 요청하는 것을 주저한다는 것에 무게를 싣기보다는 장애물을 배제한 노라의 행동에 집중하여 목표를 도출하는 것이 필요하다.
		크로그스타트 설득	크로그스타트가 제안하는 문제해결 방법을 거부하는 원인과 크로그스타트가 원하는 것 사이의 괴리가 명확하게 드러나 있는 장면이다. 크로그스타트가 보여주는 인간적인 면모에 대한 노라의 반응에 구체적 동기를 부여하기 위해서는 그녀가 어떤 이유로 그의 제안을 거절하는지를 염두에 두고 목표를 도출하는 것이 중요하다.
		린데부인에게 도움 요청	린데와 노라의 수평적이면서도 상호보완적인 관계형성에서 보이는 두 인물이 가진 공통분모를 찾아 노라의 직접적 접근과 믿음에 대한 부분을 감안하여 보다 직접적인 목표를 도출할 수 있다.

3막		린데와 크로그스타트의 재결합/ 랑크 박사의 작별인사	린데 부인과 랑크 박사가 노라에게 어떤 의미의 인물들인지를 고민해 볼 필요가 있다. 린데와의 대화 이후 노라가 어떤 마음으로 끝까지 가족을 보호하고자 하는지를 도출해야 한다. 절정에 이르기 전에 노라의 희생이 어디까지 확장되는지에 대한 면밀한 분석이 필요하다.
	절정	편지 공개: 토르발의 폭력적인 실체와 가치관 공개	인물 간의 목표가 강하게 충돌하는 장면이기 때문에 수동적 입장에 있는 인물의 사고에 중점을 두고 원하는 바를 도출해야 한다. 이런 장면의 경우 수동적 입장의 인물이 능동적으로 소통하는 인물의 귀가 되어버리는 경우가 종종 있다. 노라의 능동적 입장을 찾아 목표를 도출하는 것이 중요하다.
	갈등 감소	크로그스타트의 심경변화로 인한 토르발트의 급격한 태도 변화	갈등의 해소와 함께 노라의 방향성이 구체화되어가는 과정에서 목표가 도출된다는 것을 간과하지 말아야 한다. 큰 변화 혹은 깨달음을 얻은 인물의 사고 진행 방향에 대한 충분한 단계별 분석 후에 목표가 구체화될 수 있다.
	결말	노라의 깨달음과 결정	명확한 목표를 가지고 있는 장면이지만 토르발트와의 긴 대화의 내용에서 도출되는 단계별 목표를 간과해서는 안 된다. 노라 헬메르가 제안하는 바가 입센의 메시지를 전달하는 기능에 머무르게 해서는 안 되기 때문이다. 능동적으로 남편과 소통하고 입장을 전달하는 여성의 목소리가 명확하게 전달될 수 있도록 목표를 도출하는 것이 중요하다.

5. 장면 기능 파악하기 및 비트 나누기

작품 내에서 인물이 변화하는 지점과 방법이 다양화되는 지점은 어디 있는가?

플롯의 구조(구성)를 토대로 인물의 여정을 정리하여 세부장면들이 플롯의 어느 단계에 위치하고 있는지를 도출하는 것이 장면의 기능을 이해하는 것이라면 장면의 기능에 따라 장면 내에서 일어나는 사건과 상징적 제시 그리고 인물들이 취하는 방법적 선택들에 따라 장면을 세분화 하는 것을 비트 나누기라 한다. 도출된 장면의 기능에 따라 인물들의 방향성을 잡고 목표를 도출하여 세부 방법이 변화하는 곳들을 나누어 인물의 변화과정에 따라 행동 찾기에 반영하는 것이다. 비트 나누기는 인물형상화의 행동 찾기에 있어서 악보와 같이 활용된다. 장면이 가진 플롯 상의 기능이 어떻게 이루어지고 있는지를 파악하여 구조를 이해하고 구조상의 변화와 인물간의 갈등요소를 도출하여 인물들이 장애물을 어떻게 제공하거나 헤쳐 나가는지를 단계별로 구분하여 행동 찾기의 구분점으로 사용하는 것이다. 인물들은 각기 다른 목표를 가지고 행동하기 때문에 장면 내의 비트 나누기는 동일하게 운용되지 않아도 무관하다.

장면의 비트 나누기는 연기자의 편의에 의해 표기될 수 있다. 다만, 지나치게 복잡하거나 다양한 표기법은 오히려 대본자체의 흐름을 읽는데 방해가 될 수 있으니 명확하게 표기되어야 하는 부분을 구분짓고 형상화 과정에서 변경될 수 있음을 인지해야 할 것이다.

장면 비트 나누기: 장면의 구성상 흐름이 변하는 곳을 크게 나누어 본다. (템포, 주제, 방식, 환경 등)

┛ 비트 등퇴장에 따른 분류

// 인물 간의 대화의 주제에 따른 분류

/ 인물의 방법적 변화에 따른 분류

✓ 대화의 흐름에 변화 부여의 필요성에 따른 분류

★ 중요한 것은 배우 개인이 알아보고 확인할 수 있는 분류체계를 만드는 것이다. 다른 사람의 체계를 그대로 가져다 쓸 필요는 없다.

〈노라와 크로그스타트 제1막[15]〉

노라와 아이들이 즐거운 한때를 보내는 것을 보여준다. 노라는 아이들과의 시간을 소중히 생각하며 최선을 다 해 역할을 수행하고 있으며 그것에서 커다란 행복감을 느낀다. 그것을 지켜보고 있는 크로그스타트와 관객은 파괴되어지는 노라의 완벽한 가정의 이미지를 갖게 된다.

노라와 아이들이 방 안팎을 오가며 즐겁게 숨바꼭질을 하며 뛰어 놀고 있다. 노라가 테이블 밑에 숨는다. 아이들이 몰려 들어와서 찾지만 그녀를 보지 못한다. 노라가 입을 막고 웃는 소리에 아이들이 테이블보를 올리고 노라를 찾는다. 커다란 웃음소리가 터져 나온다. 노라 아이들을 겁주려는 듯 기어 나온다. 또 한 번의 웃음소리. 누군가 현관문에서 노크를 하는 소리가 들리지만 아무도 듣지 못한다. 반쯤 열린 문틈으로 크로그스타트가 나타난다. 크로그스타트는 놀이가 계속되는 동안 잠깐 기다린다. ┘

크로그스타트 실례합니다, 헬메르 부인. ┘

노라 (돌아보고는 놀란 듯 거의 펄쩍 뛴다) 어머나, 웬일이세요?

⇒ 지문과 인물들의 대화에서 성격 및 행동의 힌트를 찾을 수 있다. 지문에 보듯이 노라는 흥분된 상태로 여과 없이 그에 대한 견해를 드러낸다. 그는 그녀가 가장 준비되지 않은 순간에 나타난다.

크로그스타트 실례합니다. ✓현관문이 열려있어서요. 닫는 것을 깜빡 잊었었나 봅니다.

노라 (일어선다) 남편은 외출중이에요. 크로그스타트 씨.

크로그스타트 알고 있습니다.

노라 그럼 용건이 뭐죠?

크로그스타트 부인과 잠깐 이야기를 좀 나누고 싶습니다.

노라 저랑요? (아이들에게 부드럽게)

⇒ 질문과 대화의 형식을 모두 비트로 나누는 것이다. 비트를 너무 많이 두는 것은 결국 비트를 살리지 못하는 결과를 초래 할 수도 있다

앤-마리한테 가 있겠니?✓ 뭐라고?✓아냐, ✓아저씨는 엄마를 헤치지 않아./아저씨 가시면 엄마랑 또 다른 놀이하자. (아이들을 왼쪽에 있는 방으로 들여보내고 문을 닫는다.┘ 그리곤, 불안하고 긴장한 태도로)//

⇒ 아이들과 크로그스타트 사이에서 그녀의 태도가 명확한 차이를 보여야 하는 부분이다.

저한테 하실 이야기가 있다고요?

크로그스타트 네, 그렇습니다.

노라 오늘요?✓하지만 아직 1일이 아닌데요?

크로그스타트 아니죠. 오늘은 크리스마스이브죠./

⇒ 그의 단호함으로 장면의 분위기가 변화한다.

그리고 부인께서 얼마나 즐거운 크리스마스를 보내게 될 지는 부인에게 달려있습니다.

노라 무슨 말씀이시죠?✓오늘은 정말 불가능한-

크로그스타트 그 이야기는 차차 하도록 하죠./지금은 다른 이야기를 좀 드려야겠습니다.✓잠시 시간을 내주실 수 있겠지요?

노라 네- 네, 괜찮아요.✓하지만-

크로그스타트 좋습니다.// 잠시 전에 길 앞 식당에 잠시 앉아 있다가 남편 분께서 지나가시는 걸 봤습니다.

⇒ 템포감 있는 질의 응답식의 대화는 비트를 나누어 과도한 호흡 점을 만드는 것보다는 상대방의 말에 귀를 기울이고 템포에 따라 청각적 긴장감을 조성하는 편이 낫다

노라 그래요?

크로그스타트 어느 여성분과 함께요.

노라 그런데요?

크로그스타트 실례가 안 된다면,✔혹시 그 분이 린데 부인 아닌가요?

노라 맞아요.

크로그스타트 방금 전에 이곳에 도착했나 보죠?

노라 네, 오늘 도착했어요.

크로그스타트 부인의 친한 친구 분이라고 알고 있는데, 맞나요?

노라 네, 그래요. 그런데 그게 무슨-

크로그스타트 저도 그 분을 알고 지낸 적이 있었죠.✔오래전이긴 하지만.

노라 알고 있어요.

⇒ 노라는 순수하지만 눈치가 빠른 인물이다. 린데와 크로그스타트의 이야기를 알고 있는 노라는 그가 린데에 관해 묻는 것으로 채무에 관한 부분은 안심하게 된다.

크로그스타트 그래요?✔알고 계시는군요. 그럴 줄 알았습니다./그럼 더 이상 지체할 것 없이 단도직입적으로 묻겠습니다. ✔린데 부인이 은행에 취직을 하게 되는 것인가요?

⇒ 템포의 변화가 요구되는 대화의 구조가 변화하는 부분이다

노라 // 무슨 권리로 그런 걸 묻는 거죠, 크로그스타트 씨?/

⇒ 노라는 승진을 앞둔 남편을 가진 가정주부이고 채무정리에 상당이 고무적인 입장이다. 그녀는 크로그스타트에게 친절할 이유가 없음을 깨닫는다.

당신은 제 남편의 부하직원이 아니시던가요?/하지만 질문을 하셨으니 알려드릴게요.✔맞아요. 린데부인은

곧 은행에서 일을 하게 될 거예요./

⇒ 노라는 크로그스타트에게 본인의 위치가 매우 달라졌음을 어필하여 우위를 차지하려는 직접적인 방법을 취한다.

그리고 말씀드리지만 그건 제가 아주 간곡하게 부탁을 했기 때문이에요.

크로그스타트 역시 제 생각이 맞았군요.

노라 (무대를 서성이며) 가끔씩은 저도 작은 영향력 정도는 행사할 수 있답니다.✔그래야죠.✔여자이기 때문에 반드시 아무런 영향력도 없는 것은 아니니까요./남의 밑에서 일을 하려면요, 크로그스타트 씨,✔상대방에게 모욕감을 주는 일은 특히나, 그 상대방이— 상대방이—

크로그스타트 영향력 있는 사람일 때는 말이죠?

노라 그래요, 정확하게 맞혔어요.

⇒ 노라는 남편의 승진과 오랜 친구의 귀환으로 잔뜩 흥분하고 희망적인 상태이다. 크로그스타트와의 채무관계에 대한 과도한 자신감과 린데의 등장으로 비롯된 성취감의 고조에 달아있다

크로그스타트 (어조를 바꾸어) 그렇다면 헬메르 부인, 부인의 그 영향력을 저를 위해 좀 써 주실 수 있을까요?

노라 네?/무슨 말씀이시죠?

⇒ 예상치 못했던 요청에 당황한다.

크로그스타트 제가 은행에서 제 자리를 유지할 수 있도록 힘써주십시오.

노라 그게 무슨 말씀이세요?/누가 당신 자리를 뺏으려고 해요?

크로그스타트 그렇게 모르는 척 하실 필요 없습니다.✓부인의 친구분께서 되도록 저를 만나고 싶어 하지 않을 거라는 것 잘 알고 있습니다.✓이렇게 쫓겨나게 된 것이 누구 덕분인지도 잘 알겠습니다.

노라 아니 제가 장담하건데－

크로그스타트 네, 그렇겠죠./요점만 말씀드리자면, 이제 부인의 영향력을 저를 위해 쓰셔야 할 겁니다.

노라 하지만 크로그스타트 씨.✓저는 그런 영향력이 없어요.

크로그스타트 없다고요? 방금 제게 직접－

노라 그런 뜻으로 말씀드린 건 아니었어요./어떻게 제가 남편에게 그런 식으로 영향력을 끼칠 수 있을 거라고 생각하실 수가 있어요?

⇒ 노라는 크로그스타트의 직접적인 영향력 행사 부탁에 무척 당황하는 모습을 보인다. 실질적인 권력보다는 남편의 권력을 따라갔던 여성의 위치가 뚜렷하게 보인다.

크로그스타트 // 저는 남편 분을 학교 때부터 알고 지내왔습니다. / 다른 남편들보다 더 아내에게 헌신적인 남편일 거라 생각되는데, ✓아닌가요?

노라 제 남편을 모욕하시려거든 지금 이 집에서 나가 주세요.

크로그스타트 상당히 대담하시군요, 헬메르 부인.

노라 난 이제 당신이 두렵지 않아요. ✓새해가 되면 모든 게 정리되고, 난 자유로워질 테니까요.

크로그스타트 (자제하면서) 제 말을 좀 들어보세요, 헬메르 부인. /전 은행의 그 보잘 것 없는 자리 하나를 위해 제 평생을 바쳐 싸울 준비가 되어 있습니다.

노라 네, 그렇게 보이네요.

크로그스타트 단순히 돈 때문만은 아니지요.✓사실 돈과는 무관하다고 해도 과언이 아닙니다./다른 이유가 있습니다.

⇒ 크로그스타트의 마음이 보이는 비트이다. 그는 가질 수 없었던 행복한 가정에 대한 삐뚤어진 시각을 노라와 헬메르에 빗대어 테스트한다. 그의 결핍이 보이기 시작한다.

✓말씀 드리는 게 좋겠군요. // 제 입장은 이렇습니다. ✓잘 알고 계시겠지만, 몇 해 전 저는 경솔한 행동을 한 적이 있습니다.

노라 들은 적이 있는 것 같군요.

크로그스타트 재판까지 가지는 않았지만, 그 후로 저에겐 기회라는 것이 주어지지 않았습니다.✓그래서 전 부인께서 잘 아시는 그 일을 시작했습니다. 뭐라도 해야만 했죠. ✓솔직히 말씀드리는데 전 제가 최악이라고 생각하지는 않습니다. /하지만 이젠 그런 일에서 손을 떼고 싶습니다. 아들들이 커가고 있고— 이 아이들을 위해서라도— 사회에서 존중받는 일을 해야 하겠다는 생각이 듭니다. /은행에서 일하는 것이 그 시작입니다.// 그런데 부인 남편께서 저를 다시 진흙탕으로 내던지려고 하고 있습니다.

노라 하지만 절 믿으셔야 해요, 크로그스타트 씨. ✔전 정말 당신을 도와드릴 힘이 없어요.

중략

크로그스타트 그렇다면 말입니다, 헬메르 부인. /혹시 아버님께서 돌아가신 날짜를 기억하십니까? ✔몇 월 며칠이었는지?

노라 아버지는 9월 29일에 돌아가셨어요.

크로그스타트 정확합니다. ✔저도 이미 확인을 해 봤거든요. // 그런데, 궁금한 것이 있습니다. (서류 한 장을 꺼내며) /도저히 이해가 가지 않는 일입니다만-

노라 궁금이요? ✔무슨 말씀이신지-

크로그스타트 아버님께서 돌아가신지 3일 후에 서류에 서명을 하셨단 말입니다.

노라 어떻게- ?// 전 이해가 가지 않는군요.

크로그스타트 아버님께서는 9월 29일에 돌아가셨지요. 그런데 보세요. 여기 아버님은 10월 2일에 이 서류에 서명을 하신 것으로 되어 있습니다. ✔이상하지 않으세요, 헬메르 부인? (노라, 말이 없다) // 설명을 부탁드려도 될까요? (노라, 말이 없다) /또 눈에 띄는 것은 말입니다. "10월 2일"과 년도는 아버님의 필체가 아니라는 것입니다.

✓제 생각엔 제가 본적이 있는 필체 같습니다. 물론 이런 상황이야 쉽게 이해할 수 있죠. ✓아버님께서 서명을 하시면서 날짜를 적는 것을 깜박하셨고 누군가가 아버님을 대신해서— 엉성하긴 하지만— 사람들이 아버님이 돌아가신 사실을 알기 전에 적어 넣은 것이겠죠. ✓문제가 될 것이 아닙니다.// 그럼 서명을 봐야 하는데./의심할 것도 없겠지요, 헬메르 부인? 아버님께서 직접 이 서류에 서명하신 것이니까요, 그렇지요?

노라 (잠시 침묵, 머리를 뒤로 젖히며 반항하듯) 아니요.

⇒ 이 장면 내에서 노라에게 가장 큰 영향을 끼치는 비트다. 이 순간 이 후부터 노라는 서서히 중심을 잃기 시작 한다.

/제가 아버지 대신 서명했어요.

크로그스타트 잠시 만요./이런 말씀이 위험하다는 것은 알고 계시겠죠?

노라 왜죠?✓당신 돈은 곧 드릴 거예요.

⇒ 크로그스타트는 이미 알고 있는 사실을 단계별로 풀어놓으며 노라를 압박하고 있다. 이런 부분에서는 비트를 잘게 나누는 것 보다는 점층적인 압박을 가하는 크로그스타트의 논리를 따라가며 그의 가중되는 압박의 단계를 톤과 피치 시선과 신체화 등으로 구체화 시키는 것이 좋다.

크로그스타트 그럼 한 가지 묻겠습니다./왜 그 서류를 아버님께 보내지 않았지요?

노라 그렇게 할 수 없었어요./아버진 많이 아프셨고, 아버지께 서명을 부탁드리려면 돈이 어디에 필요한지도 말씀 드려야 하잖아요. ✓아픈 아버지께 남편의 생명이 위험하다는 얘긴 할 수 없었죠. 그렇겐 할 수 없었어요.

⇒ 노라는 당당하게 본인의 불법행위의 원인을 이야기하고 있다. 감성기반의 논리로 사고하는 인물임이 보여 지는 부분이다. 읽히는 논지가 약한 것이 인물의 논리를 약화시키지 않도록 주의해야 한다.

크로그스타트 그랬다면 여행을 포기하시는 게 낫지 않았을까요.

노라 그럴 순 없었어요. ✔남편의 생명을 구하기 위한 것이었다고요. ✔그걸 포기할 순 없었어요.

크로그스타트 부인은 그게 사기라는 생각은 못하셨습니까?

노라 그런 생각까지 할 여유가 없었어요. ✔당신까지 걱정할 상황은 아니었으니까요. /당시엔 남편이 그렇게 아픈 것을 알면서도 조건을 걸며 일을 복잡하게 만드는 당신을 견딜 수가 없었어요.

⇒ 노라의 감성적 논리와 크로그스타트의 이성적 논리가 정면충돌한다. 3막의 감정적인 헬메르와 이성적인 노라와는 대조적이다.

크로그스타트 헬메르 부인, 부인께서는 본인이 지금 어떤 상황에 처해있는지를 전혀 인지하지 못하시는 것 같군요. / 제가 이것 한 가지는 말씀드릴 수 있습니다. 부인께서 하신 행동은 제가 과거에 저질렀던 일과 비교했을 때 너 낫지도 더 나쁘지도 않다는 것입니다. /당시의 그 일은 제 평판을 바닥으로 떨어트렸죠.

노라 당신이요? ✔지금 당신도 아내의 생명을 구하기 위해 용감하게 나선 적이 있었단 말을 하시는 건가요?

크로그스타트 법은 범죄 동기에 따라 다르게 적용되지 않습니다.

노라 그렇다면 그 법은 정말 형편없는 법이군요.

크로그스타트 형편이 있든 없든— 제가 이 서류를 법원에 제출하면 부인께선 그 법의 심판을 받게 되겠죠.

노라 그건 말이 되지 않아요. /딸이 아픈 아버지를 근심과 걱정으로부터 보호할 권리가 없다는 말씀이신가요? ✓아내가 남편을 구할 권리가 없다는 말씀이신가요? ✓전 법에 대해서는 잘 모르지만, 법전 어딘가에 이런 것들에 대한 예외 조항이 있을 것이라 확신해요. ✓그런데 당신은 그 걸 모르시는 군요. 법을 다루시는 분이? /역시 엉터리 변호사시군요.

⇒ 자신이 처한 상황을 인지하지 못하고 정서적 가치와 명분으로 논리를 이어가며 사실을 받아들이지 못하고 있는 노라 헬메르가 드러난다. 노라의 논리에 기반을 이해하고 확실한 믿음과 당당한 논리로 맞서는 선택을 해야 하는 부분이다.

크로그스타트 그럴지도 모르죠. /그렇지만 이 일에 대해서— 부인과 제 일에 대해서 말입니다— 제가 더 잘 알고 있을 거라는 생각이 안 드십니까? /좋습니다. 부인께서 원하시는 대로 하시지요. /다만 만약 이번에 제가 은행에서 쫓겨나게 된다면 부인 또한 같은 일을 겪게 되실 겁니다. (인사를 한 후 퇴장한다.)

⇒ 갈등의 시작이며 노라가 그동안 만들어온 "인형의 집"에 밸런스는 깨진다. 이 장면 이후 노라의 변화는 시작된다.

6. 인물형상화와 행동 찾기

행동 찾기에 있어서 가장 우선적으로 진행되어야 하는 것은 작품 분석이다. 행동양식과 규범 그리고 문화적 특수성을 충분히 학습하고 작업에 반영해야 하는 것이다. 작가에 의해 주어진 환경과 배경이 제작의도에 따라 변경되는 경우는 원작의 의도와 변경된 의도의 차이를 학습하여 반영해야 한다. 그만큼 구체적 행동 찾기의 기본으로 자리 잡고 있는 것이 인물을 형성하고 있는 사회와 문화라는 것을 잊지 말아야 할 것이다. 행동 찾기라는 것은 인물이 원하는 바를 이루고자 취하는 방법들을 도출하여 다양한 방식으로 행하는 것을 말한다. 작가의 상상력에 연기자의 창의적 표현이 더해져 형상화되는 것을 말하는 것이다. 인물의 의도와 함께 수반되는 주어진 배경과 상황에 따른 행동을 찾는 과정이 바로 리허설과정이며 연기자의 과제이기도 하다.

이미지 작업(기본자세)

인물이 신체적으로 표현하는 세계와의 관계를 구체화하는 작업이라고 볼 수 있다. 인물은 특정한 눈으로 세상을 바라본다. 그것은 인물이 세상과 다른 인물들 그리고 사건들을 바라보는 견해에 의해 변형되고 응용되며 신체화 기본요소 작업을 우선하여 인물의 기본 이미지로 도출된다.

기본 스탠스(Basic Stance: 기본자세) 작업으로도 불리는 이미지 작업은 인물과 세계와의 관계를 형상화하는 작업이다. 일상에서 우리는 흔히 사람을 감각적으로 관찰하여 반응한다. 한 사람이 가지고 있는 세계관에 따라 만들어진 이미지적 특징에 반응하는 것이다. 염세적인 자세로 서 있는 사람에게 섣불리 다가가지 못한다던지 편안한 자세와 열린 시야로 서 있는 사람에게 쉽게 길을 묻는 등 감각적으로 느끼는 사람의 상태 혹은 태도를 연기자는 인물을 구현하는데 신체화 기본요소로 만들어내야 하는 것이다. 타고난 신체적 조건으로 변형할 수 없는 부분도 존재하는 것이 분명하다 그러나 인물이 가진 세계관을 연기자의 역량으로 신체의 활용 방식을 변형하여 표현할 수 있는 것이다.

다음은 신체화 작업을 위해 할 수 있는 질문들의 예시이다. 정형화 된 질문 양식이라기보다는 신체에 영향을 끼칠 수 있는 질문들로 구성하여 질문에 대한 답이 인물의 기본자세에 어떤 변화를 줄 수 있는지 실험하고 표현할 수 있도록 구성하였다. 기본적인 성향을 드러내는 신체화 기본요소를 도출할 수 있도록 사고를 유도하는 질문들로 작업을 구체화시켜 나가는 것이다. 신체화 기본요소는 인물을 구성하는 기본적인 이미지를 일컫는다. 신체화 기본요소는 인물을 구성하는 기본적인 이미지의 조합을 일컫는다. 인물의 걸음걸이, 앉기, 서기와 같이 척추를 사용하는 기본 행동들을 말하며 신체화 기본요소는 인물 형상화의 기본 작업으로 극 중 관계 형성과 사건의 흐름에 따라 행동 찾기와 병합되어 변형 혹은 응용된다. 신체화 기본요소는 인물의 세계관을 보여주는 기본자세이다.

① 인물의 가족과의 관계는 어떤 특징을 가지고 있는가?

이 질문을 통해 가족 구조의 틀 안에서 인물의 기본 성향을 파악하고 걸음걸이, 앉기, 서기 등의 기본자세(척추사용 습관) 등을 실험할 수 있다. 가족의 역사와 인물 개인의 역사가 드러나 있는 작품의 경우 더욱 용이하게 활용될 수 있다. 집안에서의 위치 가족 개개인과의 관계에서 행동패턴은 만들어지고 구체화될 수 있는 것이다. 단순한 생물학적 관계가 아닌 작품 속에서 드러나는 가족의 구조 속 서로에 대한 그리고 가족 자체에 대한 세부적 견해를 도출하여 개인적 견해를 반영할 수 있는 행동을 찾을 수 있다.

② 인물은 어떤 비밀을 가지고 있는가?

인물의 비밀을 가지고 작업한다는 것은 세부적 선택에 있어서의 반응이 구체화 되는 지점을 찾는다는 것이다. 인물이 비밀이 직접적 혹은 간접적으로 다루어지는 부분의 동선이 구체화 될 수 있다. 비밀을 가지고 있다는 것은 작품에서 언급되는 공공연한 비밀이 될 수도 있고 연기자가 인물구현에 있어서 개인의 작업에 부여하게 되는 비밀일 수도 있다. 물론 논리적 추론에 입각한 비밀부여는 필수적이다. 인물이 가지고 있는 특징에 정당화될 수 있는 비밀을 부여하여 인물형상화 작업 시 세부작업에 활용하는 것이다. 남몰래 좋아하는 사물 혹은 애착을 가지고 있는 공간 혹은 행동 등을 예로 들 수 있다.

③ 사회의 어느 집단에 속하는가? 사회를 어떤 눈으로 바라보고 있는가?

사회구성원으로써의 인물을 신체화 할 수 있다. 사회 속의 인물을 배경조사를 통해 도출하고 그의 눈으로 세상을 바라본 후 인물과 사회의 관계에서 신체화 기본요소를 도출할 수 있다. 사회와의 관계는 계층을 명확하게 보이게 형상화 작업을 구체화하며 극에 등장하는 다른 인물들과의 관계 또한 구체화할 수 있다. 특히나 시대를 대변하는 극에 종종 등장하는 계층별 행동양식과 욕구 등에 대한 구체적인 신체화 작업에 효율적으로 활용될 수 있다. 물론 인물의 인지능력에 따른 조율도 필요하다.

④ 직업에 대해 어떻게 생각하는가?

인물의 직업 그리고 인물이 가진 직업에 대한 견해, 관계, 태도 등은 인물의 신체화 기본요소들을 도출하는 기초자료로 활용될 수 있으며 공간과 관계에 따라 변화하는 인물의 태도에 영향을 받아 변화

할 수 있다. 사회의 계층으로 더욱 구체화 요소에서 활용될 수 있는 직업은 현대사회의 계급으로 적용되기도 하며 생활패턴 및 인물 간의 견해에도 커다란 영향을 끼친다. 의도적으로 기대치에서 벗어나는 행동을 하는 인물의 경우 무엇을 선택적으로 하지 않는가에 대한 구체화 작업에 활용할 수 있다.

⑤ 인물이 불안 증세나 틱이 있는가?

극도의 불안감과 틱의 경우 대본에 명확하게 명시되는 경우가 많으나 연기자의 창작역량 내에서 구체화할 수 있는 부분도 존재한다. 습관적인 표현이나 예기치 않은 상황에 대한 반응 등으로 활용할 수 있다. 그러나 특수한 상황에 있어서의 고조되는 감정을 표현할 수 있는 도구로 활용하는 것 외에 오남용 되어서는 안 되는 부분이다. 불안 증세를 활용하여 인물의 상태를 구체화하는 작업은 사회적으로 민감한 부분을 건드리게 될 수 있으니 반드시 아이디어에 대한 사회적 수용상태를 확인하는 절차를 거치기 바란다.

⑥ 사랑하는 사람이 있는가?

보편성에서 벗어나 당연시 되는 관계를 구체화하여 인물형상화에 반영하는 것을 권장한다. 사랑이라는 것이 주제로 활용되어 다루어지지 않는 경우 간과되어 명확한 관계를 제시하지 않고 지나치는 경우가 있다. 관계의 명확성과 구체화에 있어 애정관계와 그 표현은 항상 많은 신체적 표현과 이미지 작업에 활용되는 부분이다. 사랑하는 사람이 가져다주는 신체적 변화를 효율적으로 표현할 수 있다.

⑦ 인물은 자신감 있는 사람으로 비춰지는가?

자신감은 신체화 되어야 하는 중요한 인물형상화 요소이다. 자신감을 표출하고자하는 인물의 기본자세를 도출하여 상대 인물과 상황에 대한 견해 및 의지를 명확히 할 수 있다. 상체의 각도 및 열린 상태 인물 사물 혹은 사건과의 거리에 많은 영향을 끼칠 수 있다. 인물 혹은 사건과의 상호작용에서 변화하는 지점을 구체화 시켜 표현할 수도 있다. 직업 등의 생활공간에서 본인의 능률성에 대한 자신감 등 추상적인 요건에도 활용하여 구체화 시키도록 한다.

⑧ 인물은 신체적으로 건강한가?

주어진 배경에서 언급되는 신체적 특징과 질병 등에 대한 리서치를 통하여 신체화 기본 작업에 반영한다. 그 외에 질병과 장애에 관한 형상화 요소는 사회적 수용도 및 창작의도와 부합되도록 정당성 및 예술적 가치부여의 부분을 충분히 고려한 뒤 선택되어야 한다.

⑨ 인물이 가진 성격적 결함은 어떤 것이 있는가?

인물 분석에 있어서 성격적 결함은 사회적 도덕적 기준을 두고 하는 평가로써가 아니라 신체화 작업에 일부분으로서 이루어져야 한다. 난폭함, 개인주의, 편협함 등 여러 가지 성격적 결함에서 오는 신체화 요소들을 찾아 실험한다. 척추와 충동과의 관계를 형상화하여 구체화 시키는 경우가 종종 있으며 이때 근육의 효율적 수축과 이완에 주의를 기울여야 한다.

⑩ 인물은 가지고 있는 트라우마가 있는가?

극 중에 언급되지만 직접 다루어지지 않는 사건에 대한 트라우마 작업으로 공간과 사건 혹은 상대 인물과의 작업을 구체화 할 수 있다. 트라우마로 인한 오해의 발단이 구체화될 수도 있으며 신체화 작업을 통해 언급되지 않는 부분의 인물형상화 작업으로 인물의 여정을 보다 구체적으로 표현할 수 있는 것이다.

관계에 따른 행동 찾기

주어진 배경과 인물의 세계관에 의해 이미지 작업이 시작된다면 관계와 사건에 따른 자극에 의해서 행동이 도출된다. 유기적 흐름에 의해 생겨나는 것이 당연한 이치지만 허구의 세계에 놓인 연기자는 분석과 상상력에 의해 인물형상화 기초 작업을 시작하고 공동 작업을 통해 완성시켜 나가는 것이다. 그만큼 공동 작업에 있어서 자극과 반응은 중요하다. 외적자극과 내적자극에 의한 충동을 인지하고 주어진 상황에 맞는 행동을 도출해야 하는 것이다.

행동 찾기는,

① 나누어진 비트에 능동적 행동을 유발할 수 있는 행동동사를 부여하여 도출한다.

비트별로 맥락을 이어주는 단계별 목표가 존재한다. 단계별 목표의 이해를 위해 2막, 노라와 크로그스타트의 대화를 자세히 들여다보고 각 인물이 목표를 이루기 위해 취하는 방법들이 어떻게 대화에 반영되어 있는지를 찾아 흐름에 따른 다양한 방법들을 시도해 볼 수 있다. 인물의 서로를 향한 대사와 그 말의 의도를 분석해 보면 그들의 목표가 보다 명확해진다. 그에 따라 인물의 태도와 의도를 담은 행동 찾기가 이루어질 수 있다. 노라와 크로그스타트는 매우 직접적으로 각자의 목표를 향해 달려가고 있으며 서로에 대한 견해를 여과 없이 드러내고 있다.

〈노라와 크로그스타트 제2막[16]〉

크로그스타트 헬메르 부인, 부인께서는 본인이 지금 어떤 상황에 처해 있는지를 전혀 인지하지 못하시는 것 같군요.

⇒ 크로그스타트는 상황은 정확하게 인지하지 못하고 감정적 사고로 대응하는 노라를 멈추고 현실을 직시하도로 하고 있다.

한 가지는 말씀드릴 수 있습니다.

⇒ 반드시 알아야 하는 한 가지를 강조하고 있다.

부인께서 하신 행동은 제가 과거에 저질렀던 일과 비교

했을 때 너 나을 것도 더 나쁠 것도 없다는 것입니다.

⇒ 노라의 주장과는 달리 두 사람은 비슷한 일을 저질렀다는 사실을 각인 시키고 있다.

당시의 그 일은 제 이미지를 바닥으로 떨어트렸죠.

⇒ 도덕적이지 않은 행동의 결과를 경고하듯 말하고 있다.

노라 당신이요?

⇒ 도덕적으로 크로그스타트보다 우월하다고 생각하는 노라는 그녀의 의심을 그대로 드러내 표현하고 있다.

지금 당신도 아내의 생명을 구하기 위해 용감하게 나선 적이 있었단 말을 하시는 건가요?

⇒ 크로그스타트에게 직접적으로 노라와 같이 헌신적이고 불가피한 선택을 한 것인지를 묻고 있다.

크로그스타트 법은 범죄 동기에 따라 다르게 적용되지 않습니다.

⇒ 그녀의 어수룩한 논리에 현실을 직시시킨다.

노라 그렇다면 그 법은 정말 형편없는 법이군요.

⇒ 그녀는 전혀 크로그스타트의 말을 받아들이지 않는다. 그를 존중하지 않는다.

크로그스타트 형편이 있든 없든- 제가 이 서류를 법원에 제출하면 부인께서 그 법의 심판을 받게 되겠죠.

⇒ 노라의 무지함과 무관하게 결과를 직접적으로 언급하여 그녀를 압박한다.

노라 그건 말이 되지 않아요.

⇒ 그에 대한 존중과 전문성에 대한 신뢰도가 없는 노라는 단호하게 그녀의 견해를 표현한다.

딸이 아픈 아버지를 근심과 걱정으로부터 보호할 권리가 없다는 말씀이신가요? 아내가 남편을 구할 권리가 없다는 말씀이신가요?

⇒ 가장 기본적인, 그녀가 알고 있는 인간(혹은 여자)의 의무에 권리주장이다

전 법에 대해서는 잘 모르지만, 법전 어딘가에 이런 것들에 대한 예외 조항이 있을 것이라 확신해요.

⇒ 그녀가 믿고 있는 세상에 대한 직접적인 코멘트이다

그런데 당신은 그걸 모르시는군요. 법을 다루시는 분이? 엉터리 변호사시군요.

⇒ 너무 당연히 주어지는 의무에 따르는 권리이기에 그 것을 간과하고 있는 크로그스타트는 생각한 대로 존중할 만한 혹은 두려워할 만한 존재가 아님을 직접적으로 전달하고 있다.

② 장면 속에서 인물이 무엇을 원하고 '어떻게' 취하는지를 실험하는 과정이다.

인물이 원하는 바를 이루고자 취하는 다양한 방법들은 대사에서 전달되는 의도를 어떻게 신체화 하는지에 대한 실험으로 연결된다. 행동으로 옮겨 다양한 방법으로 이른바 장면의 '이미지'를 완성시켜 나가는 것이다. 다양한 방법으로 상대방이 나의 말에 귀를 기울이도록 하는 과정이라고 볼 수도 있을 것이다. 간혹 연기자들은 말에 의존하여 상대 인물이 당연히 내 말을 경청하고 있을 것이라 생각한다. 대사만 한다면 원하는 바가 관철되리라 생각하는 것이다. 그렇게 쉽게 해결되는 갈등은 극에 등장하지 않는 게 일반적이다. 극이라는 것은 삶의 다양한 희로애락을 담으며 소통의 오류 혹은 부재를 다루는 경우가 많다. 플롯에 상당 부분을 차지하고 있는 갈등의 소개, 고조, 절정, 감소를 보더라도 알 수 있다. 인물들은 다양한 방법으로 절실하게 원하는 바를 이루고자 매진하고 있는 것이다. 극의 세계에 '그냥'이라는 것은 없다.

③ 도출된 목표를 다양한 방법으로 신체와 소리를 활용하여 형상화하는 것이다.

목표를 이루고자 노력하는 인물의 여정에 감정적 소비는 자연적으로 발생할 것이다. 이러한 감정의 생산과 소비는 신체와 소리에 직접적으로 영향을 끼친다. 연기자의 민감한 신체는 인물의 여정에서 유기적으로 반응하며 변화하는 신체와 소리를 효율적으로 활용해야 한다. 연습과 공연 혹은 촬영으로 지쳐가는 연기자의 신체와 소리를 말하는 것이 아니다. 스토리텔링의 효율성이라는 전제로 인물의 변화과정을 표현해주어야 한다는 것이다. 연기자는 플롯의 시간적 배경과 서술적 배경에서 변화하는 인물의 사고와 함께 신체적 음성적 변화를 표현할 수 있어야 한다.

④ 글을 행동으로 옮기는 과정이다.

말을 분석하여 말의 기본적 소통이 이루어지도록 해야 한다. 언어의 구조에 맞게 상대방에게 무엇을 전달하고자 하는지 말 자체가 가지고 있는 직접적 의도가 간과되지 않도록 하는 것이다. 극의 분위기 혹은 인물의 특성에 과도하게 집중하여 말의 기본적 기능이 상실되어서는 안 되기 때문이다. 언어의 이해를 우선으로 하여 등장인물 간의 관계에 따라 구체화 된다.

⑤ 사회적 배경, 신분 등의 외부적 요소와 결합되어 구체화 된다.

행동 찾기는 이미지 작업에서 얻을 수 있는 인물 유형의 형상화 작업과 함께 작용하여 구체화 된다. 인물이 속한 사회의 문화, 종교적 영향과 나이, 신분 혹은 직업에서 오는 특징을 도출하여 인물의 신체화 기본요소로 걸음걸이, 앉기, 서기 등의 기본자세 도출에 인물의 무게중심과 그에 따른 척추의 활용을 실험하여 효율적 형태를 도출한 후 극 중 장면에서 필요한 관찰과 반응에 접목시키는 것이다.

⑥ 행동 찾기는 인물이 가진 '논리적 사고'의 표현이다.

행동과 행위의 구분으로 '논리'를 형상화 한다. 감정기반의 행동 찾기는 연기자를 위축되게 만들고 감정적으로 한정된 사고의 흐름만을 보여주게 유도한다. 인물이 목표를 향해 매진하는 과정에서 부산물처럼 유기적으로 생성되는 것이 바로 감정이다. 그러므로 감정을 미리 상상하고 특정 감정을 끌어올리기 위한 작업과 동시에 다른 인물과의 교류를 한다는 것은 쉬운 일이 아니다. 원인과 결과라는 인과관계를 가진 자극과 반응으로써의 행동과 감정을 역순으로 진행하고자 하는 것이라고 설명하면 보다 이해하기 쉬울 것이다. 특히나 아직 경험이 적은 젊은 연기자들에게는 '소통의 결여와 자의식'이라는 결과를 초래할 수도 있는 접근 방식인 것이다. 연기자의 작업에서 가장 매력이 있는 부분은 인물의 사고 진행과정이 그대로 전달된다는 것이 아닐까 싶다. 그만큼 투명한 인물의 생각이 배우에게도 또 관객에게도 매력적인 요소로 다가가기 때문이다. 생각이 표현될 때 관객은 인물과 공감하고 이입되기 마련이다. 관객의 감정적 투자가 이루어지는 것이다. '논리적 사고'라는 것은 감정 개입이 없는 경직되고 틀에 박힌 사고체계를 말하는 것이 아니다. 작품에서 요구하는 인물의 사고 진행과정에서의 논리성이며 전달과정에서의 정당성을 일컫는 것이다. '논리적 사고'에 의한 행동 찾기로 자연스럽게 생성되는 감정은 상대 인물과 환경 그리고 연기자 자신의 상태를 유기적으로 변화시키고 다음 행동에 영향을 끼치게 된다.

⑦ 서술적 행동과 심리적 행동의 혼합체로 활용된다.

서술적 행동은 보는 사람에게 구체적으로 무엇을 하고 있는지 어떤 심정인지를 설명하여 소통하고자 하는 목적을 가진 행동을 일컫는다. 서술적 행동은 관객을 이해시키기 위한 용도이며 상상력을 자극시키거나 공감대를 형성하기에는 부족한 경우가 많다. 심리적 행동은 심리적 상태와 욕구를 표현하는 지극히 개인적인 표현이다. 소리와 행동(제스처)로 구성된 심리적 행동은 공감대를 형성하기도 하고 적대감을 불러일으키기도 한다. 지극히 감정적인 경우가 많기 때문이다. 술 취한 사람의 제스처가 감정상태에 따라 확대되거나 축소되는 것을 생각해보면 쉽게 이해할 수 있을 것이다. 연기자는 서술적 행동에 극의 전개에 따른 인물의 상태를 반영하여 심리적 행동과의 혼합체로써의 행동으로 인물 형상화를 구체화 하거나 추상적 표현으로써의 심리적 행동(제스처)을 활용하여 인물의 심리상태를 보다 직접적으로 표현하기도 한다. 우리는 감각적으로 심리적 행동을 받아들이고 반응한다. 심리적 행동은 외적자극보다는 내적자극에 의한 충동에서 비롯된 경우가 많으며 그 감정의 기반을 쉽게 알아보기 때문이다.

부록

1. 연기자를 위한 웜업(Exercise Routine)

연기자들이 인물형상화 작업에 들어가기 전에 준비된 신체를 만들기 위한 기본 신체이완과 소리 웜업(Warm-up)이다. 준비된 신체를 통해 외적 충동과 내적 움직임을 효율적으로 표현할 수 있으며 상상력을 활발하게 운영할 수 있도록 디자인된 이 루틴(Routine)은 연기자의 척추를 찾아 중립적인 신체를 만들어 인물형상화에 신체적 특징을 부여할 때 용이하게 쓰일 수 있으며 조음기관을 이완하고 효율적으로 훈련하여 보다 부드러운 발성과 명확한 발음으로 연결시킬 수 있다.

중립자세

다리는 어깨 넓이 정도로 벌려서 안정된 자세를 취하고 무릎과 꼬리뼈에 힘을 빼서 척추를 이완함으로 몸 안에 순조로운 에너지의 흐름이 생길 수 있도록 중립자세를 유지한다. 웜업을 진행하는 중간중간에 어깨와 목에 긴장이 들어가지 않도록 수시로 근육의 이완과 호흡 상태를 체크하고 소리를 사용하여 몸의 울림을 통해 적절한 이완 상태를 확인하면서 중립자세로 돌아갈 수 있도록 한다.

신체이완

연기자의 창작 작업에 앞서 이완된 신체로 유연하게 충동을 인지하고 형상화 할 수 있는 신체상태를 만드는 엑서사이즈이다. 연기자의 이완은 완전이완이 아닌 창작 작업에 최적화 된 탄력 있는 배우의 상태를 말하는 것으로 잘 불어져서 본래의 색을 명확하게 담으면서도 탄력 있게 튕길 수 있을 정도의 그러나 위태로워 보이지 않을 정도의 공기를 담고 있는 풍선 정도로 생각하면 좋을 것이다. 아래의 루틴은 간소화된 신체이완 단계로 연기자 스스로 집에서도 할 수 있는 간단한 동작들로 구성되어 있다.

1. 고개 떨어뜨리기

날숨에 고개를 떨어뜨린다.

2. 목 스트레칭

천천히 숨을 들이 마시며 머리를 오른쪽으로 회전시킨다. 날숨에 오른손으로 지긋이 당겨주어 머리왼쪽을 오른쪽 어깨 방향으로 늘려주며 들숨, 다음 날숨에 왼쪽으로 회전하여 반복한다. 턱과 무릎에 긴장이 실리지 않도록 수시로 체크하고 호흡과 함께 양쪽어깨를 내려 귀와 어깨 사이의 공간을 넓혀준다.

3. 목 돌리기

2와 연결하여 머리회전 오른쪽 2회, 왼쪽 2회, 천천히 고개를 든다. 턱과 무릎에 긴장이 실리지 않도록 수시로 체크하고 호흡과 함께 양쪽어깨를 내려 귀와 어깨 사이의 공간을 넓혀준다.

4. 어깨 올리기

숨을 3번에 나누어 쉬면서 어깨를 단계별로 귀까지 올려준다. 날숨에 어깨를 한 번에 떨어뜨린다. (2회 반복)

5. 어깨 돌리기

척추와 무릎의 이완을 유지하면서 어깨만을 돌린다. (4ct 앞으로 4ct 뒤로-2회 반복)

6. 팔 돌리기

팔을 쭉 뻗고 크게 큰 원을 그리듯이 앞뒤로 회전시킨다. (4ct 앞으로 4ct 뒤로-2회 반복)

7. 전신 팔 돌리기

전신을 사용하여 팔을 앞뒤로 큰 원을 그리듯 회전시키며 척추 스트레칭과 함께 진행한다. 뒤로 돌리며 한 바퀴 반에 위로 손을 뻗으며 발끝으로 서서 전신 스트레칭과 함께 호흡하고 바로 연결하여 상체가 앞으로 향하도록 팔의 방향을 바꿔 아래로 한 바퀴 반을 돌리며 상체와 함께 등을 굽혀 스트레칭 한다. 이때 무릎이 자연스럽게 굽혀지고 펴져서 신체 밸런스를 잡을 수 있도록 한다. (4ct 위로 4ct 아래로 2회 반복)

8. 골반 스트레칭

기마자세를 하고 상체를 곧게 유지한 채 앞뒤좌우로 분절하여 밀어서 스트레칭하고 바로 이어서 골반을 분절을 사용하여 앞뒤좌우로 스트레칭 한다. 좌우 골반회전으로 마무리 한다.

9. 무릎과 발목 풀기

이완된 중립자세에서 무릎을 모아 좌우회전 그리고 발목 좌우회전으로 풀어준다.

10. 전신 털기

양손을 늘어트린 상태에서 허벅지 근육과 척추의 반동을 이용해 전신을 털며 자연스럽게 '아~' 소리가 몸에서 새어 나올 수 있도록 한다. (2회 반복)

조음기관

연기자는 다양한 소리로 인물을 표현한다. 신체와 소리는 상호보완적으로 작용하여 어느 것이 먼저랄 것도 없이 운용된다. 소리를 자연스럽게 그리고 명확하게 사용하기 위해 연기자들은 조음기관을 항상 훈련해야 하는 것이다. 이것은 연주자가 본인의 악기를 관리하고 훈련하는 것과 같다고 볼 수 있다. 아래의 루틴은 각각의 조음기관과 관련된 공명기관 및 얼굴근육을 풀어주고 훈련시키는 간단한 엑서사이즈들로 구성되어 연기자 스스로도 진행할 수 있도록 구성되어 있다.

11. 감각 깨우기

양손을 이용하여 머리와 얼굴을 손가락 끝으로 '톡, 톡, 톡~' 소리가 나도록 두드리듯 풀어준다.

12. 눈썹 마사지

검지와 엄지로 양쪽 눈썹을 꼬집듯이 잡고 미간 쪽에서부터 바깥쪽으로 꾹꾹 꼬집어 준다. (2회 반복)

13. 안와 마사지

양쪽 엄지손가락을 눈의 안쪽에 밀어서 대고 위로 올리며 뼈를 들어주듯 바깥쪽으로 꾹꾹 나누어 눌러주며 이동한다. 이때 눈을 너무 심하게 눌러서 눈알을 자극하지 않도록 한다. 바로 이어서 손가락을 검지로 바꾸고 바깥쪽에서 안쪽으로 뼈를 내리듯 꾹꾹 나누어 눌러주며 안쪽으로 손가락을 이동한다.

14. 귀 접기/스트레치

양쪽 검지와 엄지손가락으로 귓바퀴를 연골까지 잡아 접어준다. 양팔의 팔꿈치가 바깥쪽을 향하도록 팔을 벌려 접어주고 손가락을 귀

뒤쪽에서부터 뻗어 귀를 움켜쥐듯이 잡아서 접어주는 것이다. 소리가 먹먹해지는 느낌을 느낀 후 가볍게 툭 풀어준다. (2회 반복)

15. 광대뼈 들기

양쪽 엄지손가락으로 얼굴 바깥쪽부터 광대뼈를 숟가락으로 음식을 뜨는 것처럼 들어 올려준다. 너무 세게 하는 것이 아니라 가볍게 공간을 만들어준다고 생각하는 것이 좋다. 점점 엄지손가락을 중앙으로 이동하며 3번 정도에 나누어 꾹꾹 올려준다. (2회 반복)

16. 비강청소

양손 검지로 코뼈 아래쪽의 비중격연골(코 양쪽의 연골이 볼록 튀어나온 지점)을 들숨과 함께 동그랗게 비벼서 마사지 한다. (2회 반복)

17. 턱관절/근육마사지

양손으로 가볍게 주먹을 쥐고 턱관절에서부터 살살 바깥쪽에서 안쪽으로 손을 돌리며 턱 근육을 마사지 하며 턱까지 내려온다. 이때 턱은 최대한 이완하여 손의 움직임과 함께 자연스럽게 턱이 열릴 수 있도록 한다. (2회 반복)

18. 턱 털기

양손을 마주잡고 편한 자세를 유지하고 어깨와 목의 힘을 풀어 맞잡은 손을 위아래로 털어 이완된 턱이 자연스럽게 남은 긴장을 털어낼 수 있도록 한다. 이때 자연스러운 호흡으로 몸에서 소리('아~'와 비슷한 소리이나 정확하게 '아~'는 아니다.)가 새어나올 수 있도록 한다. (2회 반복)

19. 입술 튕기기

윗입술과 아랫입술을 윗니와 아랫니 사이의 공간에 함께 말아 넣었다가 호흡이 입에서 터져나가는 힘으로 소리('부르르르~'와 비슷한 소리이나 정확하게 '부르르르~'는 아니다.)를 내며 밀려나가도록 한다. (2회 반복)

20. 불기

윗입술과 아랫입술을 자연스럽게 유지하고 호흡을 이용하여 불어내어 이완된 입술의 자연스러운 진로방해로 윗입술과 아랫입술의 마찰이 일어날 수 있도록 한다. (2회 반복)

21. 혀 포인트

자연스러운 중립자세 상태에서 목에 힘을 빼고 혀끝을 모아 쭉 내민다. 이때 새끼손가락을 입술에서 10cm 정도의 거리에 펴고 혀끝을 최대한 얇게 모아 새끼손가락 끝을 향하도록 모아준다. 이때 입술에 힘이 들어가지 않도록 주의한다. (2회 반복)

22. 혀 스트레칭

혀끝을 아랫니 뒤에 편안하게 쉬도록 둔 상태에서 마치 낚시 바늘이 혀 중앙에 꽂혀 혀를 끌어내듯 혀의 중앙을 입 바깥쪽으로 돌출시켜 스트레칭 한다. 이때 혀끝은 그대로 아랫니 뒤에 두고 혀의 윗면이 충분이 스트레칭 될 수 있도록 한다. (2회 반복)

23. 연구개 튕기기

혀끝을 아랫니 뒤에 편안하게 쉬도록 둔 상태에서 혀 뒷부분을 들어 연구개와 만나도록 한 뒤 호흡을 이용하여 붙어 있는 혀와 연구개를 떨어뜨리며 소리('앙!'과 비슷한 소리이나 정확하게 '앙'은 아니다.)가 새어나오도록 한다. (2회 반복)

24. 연구개 스트레치

커다랗게 입을 벌리고 하품을 하듯이 호흡을 크게 내쉬고 뱉는다. 이때 입의 뒤쪽 공간에 마치 커다란 테니스공이 들어가 연구개를 올리고 혀는 내려주는 것과 같은 모양이 되도록 한다. (2회 반복)

25. 혀뿌리 마사지

턱에 힘을 빼고 두 손으로 아래턱을 엄지손가락이 목을 향하도록 움켜잡는다. 엄지손가락을 접어 턱뼈 쪽으로 밀어 부드럽게 마사지한다. 두 엄지손가락을 모두 사용하기 힘들면 한 손으로 진행해도 좋다. 턱뼈 안쪽으로 움푹 파인 곳에 위치한 근육을 마사지하는 것이다. 이때 혀에 힘을 빼고 엄지가 근육을 마사지 할 때 입안의 혀가 움찔하면서 움직이는 것을 느껴보도록 한다. 입 안의 바닥을 이루는 악설골근을 풀어주는 것이다.

26. 조음기관 발음 훈련

① **파열음[17]을 활용한 조음기관 훈련**은 각각 입술, 치경(윗니 뒤편 경구개 끝에 볼록 튀어나온 지점)과 혀끝, 그리고 연구개와 혀의 뒷면을 더욱 예민하게 훈련시켜 명확한 발음을 할 수 있도록 하는데 그 목적을 둔다. 각각의 훈련은 무성음과 유성음의 한조로 이루어져 하나의 조음구성에 무성음이 만드는 소리와 유성음이 만드는 소리로 훈련을 진행하도록 구성되어 있다. 유성음과 무성음은 성대진동의 유무로 구분된다.

입술: "p/b"[18] 위아래 입술이 자연스럽게 붙었다가 터져 나오는 호

17. 파열음이란 폐에서 나오는 호흡을 일시적으로 막았다가 터져 나오듯 나오는 소리를 말한다.

흡에 의해 분리되면서 나오는 소리를 무성음/유성음 순으로 반복한다.

'파, 파, 파, 파, 파!' '바, 바, 바, 바, 바!' (2회 반복)

이때, 턱이 경직되지 않도록 호흡을 크게 사용하여 턱을 떨어뜨려서 편하게 사용하고 턱의 긴장을 사용해 무리하게 소리를 밀어내지 않도록 한다.

치경&혀끝(설단): "t/d" 혀끝이 치경에 닿았다가 터져 나오는 호흡에 의해 분리되면서 나오는 소리를 무성음/유성음 순으로 반복한다.

'타, 타, 타, 타, 타!' '다, 다, 다, 다, 다!' (2회 반복)

이때, 혀끝이 치경에 예민하게 닿았다가 떨어지고 면이 닿지 않도록 훈련하는 것이 중요하다. 면이 닿았을 때 밀려나오는 소리는 둔탁하고 혀의 훈련에 보다 효율적이지 않기 때문이다.

연구개&혀의 뒷면(후설면): "k/g" 혀의 뒷면과 연구개가 붙었다가 터져 나오는 호흡에 의해 분리되면서 만들어지는 소리를 무성음/유성음 순으로 반복한다.

'카, 카, 카, 카, 카!' '가, 가, 가, 가, 가!' (2회 반복)

이때, 턱은 이완된 상태에서 떨어뜨린 후 움직임이 없도록 유지

---

18. 영어의 알파벳으로써가 아닌 국제음성기호를 간략하게 이해하기 쉽도록 알파벳의 형식으로 넣어 국어의 자음과 모음보다는 조음기관이 만들어내는 유사 음으로 인식하는데 도움을 주고자 표기하였다.

하여 연구개와 혀의 훈련을 효율적으로 진행할 수 있도록 한다.

② **비음[19]을 활용한 조음기관 훈련**은 이완된 상태에서 자연스럽게 비강을 통해 소리가 명확하게 전달될 수 있도록 하는 훈련이다. 비강을 통해 나오는 소리를 입술, 치경과 혀끝, 그리고 연구개와 혀의 뒷면으로 구분하여 조음기관별 훈련과 함께 진행한다.

입술: "m" 윗입술과 아랫입술을 닫은 채로 성대의 울림을 비강까지 올려 소리를 순환시킨 후 닫혀 있는 입술을 밀고 나올 수 있도록 한다.

'음마, 음마, 음마~'

이때, 소리가 코에서 나오는 것이 아니고 입술을 밀고 터져 나올 수 있도록 하여 비강의 울림을 사용하되 비강에 소리가 갇히지는 않도록 한다.

치경&혀끝(설단): "n" 치경에 혀끝이 닿은 채로 성대의 울림을 끌어올려 혀끝이 간지러울 때까지 울림을 증폭시킨 후 호흡을 이용하여 소리가 밀려나가도록 한다.

'은나, 은나, 은나~'

이때, 혀의 면 (중설면과 후설면)이 경구개와 연구개로 따라 올라

19. 비음은 입안의 통로를 막아 비강의 진동으로 소리의 경로를 조정하여 코로 소리를 내보내면서 만드는 소리이다.

가지 않도록 하여 입 속에 충분한 공간을 유지하여 이완된 상태에서 소리가 울림을 통해 증폭되어 만들어질 수 있도록 한다.

연구개&혀의 뒷면(후설면): "ng" 연구개와 혀의 뒷면이 닿은 상태에서 성대의 울림을 끌어올려 비강까지 울림을 증폭시킨 후 호흡을 이용하여 소리가 밀려나가도록 한다.

'응아, 응아, 응아~'

이때, 혀의 뒷면과 함께 턱이 닫히지 않도록 하여 충분한 공간을 유지하고 소리가 자연스럽게 터져나갈 수 있도록 한다.

27. 척추롤

호흡과 함께 날숨에 머리 떨어뜨리기를 시작으로 자연스럽게 호흡하며 목뼈 - 등뼈 - 허리뼈 - 엉덩이뼈 - 꼬리뼈 순으로 분절하여 서서히 머리의 무게에 이끌려 내려가듯 상체를 늘어뜨린다. 허벅지에 상체가 접혀서 닿을 정도로 무릎을 편하게 접어 이완상태에서 상체가 완전히 이완되도록 하고 크게 호흡하여 몸속에 공기의 흐름을 최대화한다.

그 상태를 유지하고,

① 들숨에 머리를 들었다 날숨에 떨어뜨린다. (2회 반복)

② 자연스럽게 호흡하며 머리를 좌우로 앞뒤로 흔들어 준다. (2회 반복)

③ 그대로 엉덩이를 내리고 쪼그리고 앉아 머리를 떨어뜨린 상태

로 성대의 울림을 증폭시켜 벌과 같이 'z~' 소리를 만들어 전신에 전달한다.

④ 다시 엉덩이를 들고 크게 호흡한 뒤 날숨에 울림을 만들어 자연스럽게 '아~' 소리가 흘러나오도록 한다.

천천히 꼬리뼈부터 척추를 다시 쌓아 올려서 중립자세로 돌아간다.

28. 몸 털기

중립자세로 돌아온 뒤 간단하게 전신을 제자리에서 뛰듯이 털어주며 본격적인 작업에 들어갈 준비를 한다.

2. 인물분석표[20]

<table>
<tr><td>작품명</td><td colspan="2">작품명</td></tr>
<tr><td>작가와 작품세계</td><td colspan="2">형상화와 관련된 작품의 특징 및 사조에 대한 간략한 설명</td></tr>
<tr><td>작품의 배경</td><td colspan="2">작품의 시대배경 및 사건 요약</td></tr>
<tr><td>작품의 주제</td><td colspan="2">작품의 주제</td></tr>
<tr><td>인물의 기능</td><td colspan="2">작품의 구성에서 인물이 가진 스토리텔링 상의 기능</td></tr>
<tr><td>인물의 세계관</td><td colspan="2">인물이 가진 가치기준에 대한 요약</td></tr>
<tr><td>인물의 초목표</td><td colspan="2">인물의 취하는 가치기준 창조를 위한 목표</td></tr>
<tr><td>인물의 여정</td><td colspan="2">인물이 초목표를 추구하기 위해 겪는 과정을 요약하여 정리</td></tr>
<tr><td rowspan="2">형상화 계획</td><td>신체적 특징</td><td>음성적 특징</td></tr>
<tr><td colspan="2">포괄적 혹은 단계별로 형상화 과정에서 쓰일 수 있는 창의적 신체표현/음성표현 아이디어 정리 (작업과정에서 변화하며 최종적으로 선택되어지는 과정을 그대로 기록하기를 추천한다.)</td></tr>
</table>

20. '인물분석표'는 연기자의 분석 작업과 기본 리서치를 통해 수집한 자료를 보기 쉽게 정리하여 분석을 토대로 한 이미지 및 행동 찾기 작업에 임하는데 사용하는 서식의 예시이다. 체계적 작업과 분석의 신체화를 위해 인물형상화 작업에 활용할 수 있다.

3. 작업일지[21]

날짜	연습일
작업 목표	구체적 신체화 목표 혹은 단계별 목표 수행의 방법(들) 선정 후 요약
작업 내용	인물의 목표
	목표 시도방식과 결과에 대한 기록
	인물의 신체화
	신체화 작업의 관찰 결과 및 피드백 기록
노트	그 밖의 문제점 혹은 관찰결과 기록

21. '작업일지'는 개인 및 공동작업의 인물형상화와 장면구현 과정을 기록하여 인물을 체계적으로 발전시켜 나가는 연기자를 위한 기록 예시이다. 작품 제작단계에 있어 장면별 동선 찾기 및 형상화를 이루는 데 사전 개인 작업을 통해 공동작업의 효율을 높일 수 있다.

4. 『인형의 집(*A Doll's House*)』

헨릭 입센(Henrik Ibsen) 지음
이은지 옮김

Liberal translation of 'A Doll House' by Henrik Ibsen, Penguin Books, 1992, English translation by Rolf Fjelde

역자의 서문

20세기 사실주의 연극을 대표하는 극작가 헨릭 입센은 그의 작품들을 통해 현대사회의 문제점과 나아갈 바를 구체적으로 제안한다. 21세기를 살아가고 있는 우리들에게도 큰 울림을 주는 그의 작품들 중 '인형은 집'은 단연코 가장 많이 알려진 작품일 것이다. 여성인권문제와 경제 불평등 등의 문제는 지금도 우리에게 낯익은 사회적 문제이기 때문이다. 초연된 지 125년에 접어드는 이 작품을 우리는 얼마나 제대로 이해하고 있을까에 대해 반문하게 되는 이유도 바로 작품이 가진 깊은 사회적 성찰 때문이 아닌가 한다.

1990년대 젊은 연극학도 시절 과제로 읽어 내려갔던 그의 작품들은 너무 어렵기만 했다. 어려운 한자들의 조합과 도무지 이해할 수 없는 인물들의 행동양식은 나를 미궁 속에 빠뜨리곤 했다. 그 시절 이러한 명작들이 그렇게 이해하기 어려웠던 것은 물론 나의 무지함 때문이었을 것이다. 번역되지 않는 문화적 인용과 레퍼런스, 유머 그리고 미세한 태도의 변화 등은 연기를 전공하던 나에겐 풀리지 않는 미스터리 같은 것이 되어 버렸다. 그러나 유학시절 다른 언어로 접하고 연기했던 입센은 꽤나 명확한 방향성을 가지고 있는 작품이었다. 인물들의 행동과 말은 명확하게 그들의 세계관과 의도를 반영하고 있었고 대본을 이해하는 것만으로도 풀리는 의문점이 많았다.

새롭게 『인형의 집』을 번역하며 각 인물들이 가진 서로에 대한 견해와 사건과 환경에 대한 태도를 보다 명확하게 전달하고자 했으며 문화적 차이에서 오는 난해함을 작가의 의도에서 벗어나지 않는 범위 내에서의 의역으로 구체화하고자 노력했다. 어순의 차이에서 오는 강조점의 부자연스러움은 국어에 맞게끔 조절하여 재배열하였다. 완벽할 순 없으나 보다 친절한 번역으로 쉽게 읽을 수 있는 대본을 통해 입센의 명작을 좀 더 가깝게 만나볼 수 있기를 기대한다.

등장인물

토르발트 헬메르(Torvald Helmer), 변호사
노라(Nora Helmer), 헬메르의 아내
랑크 박사(Dr. Rank), 의사
크리스틴 린데(Mrs. Linde)
닐스 크로그스타트(Nils Krogstad), 은행원
세 자녀들
앤-마리, 자녀들의 보모
헬렌, 하녀
배달소년

헬메르의 집

제1막

사치스럽지 않고 아늑하며 감각적으로 꾸며진 방. 오른쪽 뒤편으로는 입구로 연결된 문이 있고 왼쪽으로는 헬메르의 서재와 연결된 문이 있다. 두 문 사이에는 피아노가 있다. 왼쪽 벽 중간에는 문이 하나 있으며 문 바로 왼쪽에는 창문이 하나 있다. 창문 가까이에는 원형 탁자와 안락의자 그리고 작은 소파가 놓여 있다. 오른쪽 뒤편에 위치한 문 앞쪽으로 난로와 두 개의 안락의자 그리고 하나의 흔들의자가 놓여 있다. 난로와 출입문 옆으로는 작은 테이블이 하나 있다. 벽에는 동판 몇 개가 걸려있고 작은 도자기 등의 예술 장식품들이 진열되어 있는 선반, 값 비싸 보이는 책들이 꽂혀 있는 책장, 바닥에는 카펫이 깔려 있고 난로에는 장작이 타고 있다. 겨울이다. 초인종이 울리고 곧이어 문이 열리는 소리가 들린다. 노라가 행복한 듯 콧노래를 부르며 방으로 들어온다. 외출복 차림이며 양팔 가득 들고 있는 물건들을 오른쪽 테이블에 내려놓는다. 열려 있는 문을 통해 배달소년이 들고 있던 크리스마스 트리와 바구니를 하녀에게 전해 주는 것이 보인다.

노라 헬렌, 트리를 잘 숨겨두도록 해. 장식이 다 끝날 때까진 절대로 애들이 보면 안 돼. (지갑을 꺼내며 배달소년에게) 얼마죠?

배달소년 50외레요.

노라 여기 일 크로네. 잔돈은 됐어요. (배달소년, 고맙다고 인사하고 나간다. 노라, 문을 닫고 만족한 듯 웃으며 코트를 벗고 주머니에서 마카롱을 몇 개 꺼내 먹는다. 바로 남편의 서재 문으로 살금살금 다가가 귀를 기울인다.) 집에 있네. (오른쪽 테이블로 향하며 콧노래를 부른다.)

헬메르 (서재에서) 밖에서 지저귀는 소리는 나의 작은 종달새인가요?

노라 (물건들을 열어보며) 네, 맞아요.

헬메르 여기저기 분주하게 돌아다니는 건 내 새끼 다람쥐고요?

노라 네!

헬메르 우리 다람쥐가 언제 집에 왔을까?

노라 방금 왔죠. (마카롱 봉지를 주머니에 넣고 입을 닦으며) 토르발트, 이리 와서 내가 뭘 샀는지 좀 봐요.

헬메르 지금은 좀 바쁜데. (잠시 후 손에 펜을 든 채로 문을 살짝 열고 들여다본다.) 뭘 샀어요? 거기 있는 거 전부 다? 우리 사모님께서 또 돈을 뿌리고 다니셨군요?

노라 오, 토르발트, 우리 올해는 조금 여유를 즐겨도 된다고요, 아주 조금은. 돈 걱정 안 하면서 보내는 첫 번째 크리스마스잖아요.

헬메르 하지만 낭비를 해서는 안 돼요.

노라 네, 맞아요. 토르발트, 하지만 우리 이제 조금은 써도 되죠, 안 그래요? 아주 조금, 진짜 조금요. 당신 월급이 훨씬 많아졌고 이제 돈을 엄청나게 벌 거잖아요.

헬메르 새해부터는 그렇지요. 하지만 인상된 월급을 받으려면 3개월은 걸릴 거란 말이에요.

노라 아휴, 그거야 빌려서 쓰면 되죠.

헬메르 노라! (장난스럽게 노라의 귀를 잡으며) 또 이렇게 대충대충 넘어가려고 하는군요. 만약에 내가 오늘 천 크로네를 빌렸는데 당신이 크리스마스 때 그걸 다 써버렸다고 생각해 봅시다. 그런데 새해 전날 지붕이 무너지고 내가 그 아래 깔리는 거야, 내가 거기에 쓰러져 있는 거예요—

노라 (손으로 남편의 입을 막으며) 오! 그런 말 하지 말아요!

헬메르 만약에, 만약에 그런 일이 일어난다면 어떻게 하죠?

노라 그런 끔찍한 일이 일어난다면 빚이 문제가 아니죠.

헬메르 그럼, 나한테 돈을 빌려준 사람들은요?

노라 그 사람들이요? 무슨 상관이에요. 모르는 사람들인데.

헬메르 노라, 노라, 정말 여자다운 생각이군. 아니, 노라, 진지하게 생각해봐요. 이런 문제에 대해서 내가 어떤 생각을 가지고 있는지는 당신도 잘 알 거예요. 빚 금지. 대출 금지. 빌린 돈으로, 빚으로 만들어진 가정에는 아름다움과 자유가 없어요. 지금까지 우리 용감하게 잘 해왔잖아요. 조금만 더 버텨봅시다.

노라 (난로 쪽으로 걸어가며) 네, 당신 생각은 잘 알겠어요,

토르발트.

헬메르 (아내 뒤를 따르며) 우리 종달새가 바로 이렇게 풀이 죽어서야 되나. 자, 우리 다람쥐 입 내밀지 말고. (지갑을 꺼내며) 노라, 이게 뭔지 알아 맞혀 보세요.

노라 (재빨리 돌아서며) 돈!

헬메르 자, 여기. (몇 장의 지폐를 건네며) 아무래도 크리스마스엔 여윳돈이 좀 필요하지.

노라 십 - 이십 - 삼십 - 사십. 오, 고마워요. 토르발트. 이 정도면 내가 어떻게든 준비할 수 있겠어요.

헬메르 반드시 그 안에서 해결해야 해요.

노라 네, 약속해요. 이제 이리 와서 내가 사온 것들 좀 봐요. 얼마나 싸게 샀다고요. 이바르는 새 옷— 그리고 장검. 밥은 말이랑 트럼펫, 에미는 인형이랑 인형침대. 엄청 비싼 건 아니에요. 어차피 조금만 가지고 놀다보면 망가뜨리니까요. 그리고 이건 하녀들 줄 옷감이랑 손수건. 그래도 앤-마리는 좀 좋은 걸 해주고 싶지만.

헬메르 저 박스는 뭐죠?

노라 (소리치며) 토르발트, 안 돼! 오늘 저녁때까진 보면 안 돼요.

헬메르 알겠어요. 근데, 이제 당신은 뭘 갖고 싶은지 얘기 좀 해주지 그래, 우리 사모님.

노라 나요? 난 갖고 싶은 거 없어요.

헬메르 당연히 있겠지. 말해 봐요. 당신이- 상식적인 선에서- 제일 갖고 싶은 것.

노라 정말 솔직히 모르겠어요. 그런데, 토르발트-

헬메르 으음?

노라 (남편을 바라보지 않고 그의 코트 단추를 만지작거리며) 당신이 나한테 선물을 하고 싶으면요. 그러면, 그럼, 어쩌면-

헬메르 자, 자, 그냥 말해 봐요.

노라 (서두르며) 돈을 좀 주세요, 토르발트. 그냥 당신이 생각한 정도만 주면 되요. 그럼, 나중에 그 돈으로 내가 사고 싶은걸 살게요.

헬메르 노라, 그건-

노라 그렇게 해요, 토르발트, 여보. 네? 부탁이에요. 그러면, 내가 예쁜 금색 돈 봉투에 넣어서 크리스마스트리에 걸어 놓을게요. 재밌겠죠?

헬메르 있는 대로 다 써버리는 그런 새를 뭐라고 부르더라?

노라 네, 네, 알겠어요. 나도 다 안다고요. 그런데, 생각해 봐요, 토르발트. 그러면 나도 내가 정말 갖고 싶은 게 뭔지 생각할 시간이 생기는 거잖아요. 그게 더 합리적이죠, 그렇지 않아요?

헬메르 (웃으며) 그래 그건 그렇군. 당신이 내가 준 돈으로 정말 당신이 원하는 것을 산다면 말이에요. 근데, 또 집에 쓸데없는 것들을 들이고 불필요한 일에 낭비한다면, 당신은 또 돈이 필요하다고 할 테고 말예요.

노라 아, 아니, 토르발트–

헬메르 아니라고는 못하겠지, 우리 귀여운 노라. (그녀의 허리에 팔을 감으며) 이렇게 사랑스러운 종달새가 무서울 정도의 돈을 쓴단 말이지. 이렇게 작은 새한테 얼마나 많은 모이를 먹여야 하는지 정말 상상 이상이야.

노라 오, 어떻게 그렇게 말할 수 있어요. 난 아낄 수 있는 건 정말 아낀다고요.

헬메르 (웃으며) 그래, 그건 사실이지. 아낄 수 있는 건 다 아끼지. 아낄 수 있는 게 없어서 그렇지.

노라 (만족스러운 미소와 함께 콧노래를 부르며) 흠, 종달새랑 다람쥐한테 얼마나 돈 쓸 일이 많은지 당신은 상상도 못 할 거예요.

헬메르 당신은 독특한 사람이에요. 당신 아버지하고 똑같아. 돈을 어떻게 손에 넣을 수 있는지 아주 잘 알지, 근데 돈을 손에 넣으면 어떻게 썼는지도 모르게 다 써버리고 만단 말이야. 당신을 있는 그대로 받아들여야겠지. 당신 핏속에 있는 거니까. 이런 성향은 유전적인 거니까요, 노라.

노라 아, 아버지를 더 많이 닮았더라면 좋았을 것 같아요.

헬메르 나의 사랑스럽고 작은 종달새, 난 지금 이대로의 당신을 사랑해요. 근데, 잠깐, 당신 뭔가— 뭐랄까? 어딘가 수상쩍은 데가 있는데?

노라 내가요?

헬메르 응, 확실해요, 자, 내 눈을 똑바로 봐요.

노라 (그를 바라보며) 어때요?

헬메르 (경고하듯 손가락을 흔들며) 우리 귀여운 다람쥐, 오늘 시내에서 마구 즐긴 건 아니겠죠?

노라 아니요. 왜 그런 상상을 해요?

헬메르 달콤한 냄새에 이끌려 잠깐이나마 길을 잃지는 않았을까?

노라 아뇨, 장담할 수 있어요, 토르발트.

헬메르 빵 한조각도?

노라 아뇨, 안 먹었어요.

헬메르 그럼, 마카롱 하나? 둘?

노라 아뇨, 토르발트, 진짜 맹세—

헬메르 그래요, 그래. 그냥 농담이에요.

노라 (오른쪽 테이블 쪽으로 가면서) 난 당신이 싫어하는 건 절대로 안 한다는 거 알잖아요.

헬메르 당연히 알죠. 당신이 나한테 약속한 게 있는데. (그녀에게 다가가며) 자, 당신의 작은 크리스마스 비밀은 당신만 알고 있는 걸로 하죠, 내 사랑 노라. 저녁 때 크리스마스트리에 불이 켜지면 다 알려질 테지만 말예요.

노라 랑크 박사님도 초대했죠?

헬메르 랑크 박사님이 우리랑 저녁식사를 하는 건 너무 당연한 일이라 초대를 하는 게 오히려 이상한 것 같은데요? 이따 오전 중에 들리실 테니 그때 물어볼게요. 괜찮은 와인도 좀 주문을 해뒀어요. 오늘 저녁이 빨리 왔으면 좋겠어.

노라 저도요. 애들도 정말 좋아할 거예요, 토르발트!

헬메르 좋은 직업을 갖고 안정된 직장에서 꽤 많은 돈을 벌 수 있다는 건 좋은 일이이에요. 정말 다행이죠, 그렇죠?

노라 네, 정말이에요.

헬메르 작년 크리스마스 때 기억나요? 당신이 크리스마스 3주 전부터 저녁때마다 자정이 넘는 시간까지 트리에 장식할 꽃이랑 장식품들을 직접 만들었었죠. 우리를 놀라게 해준다고 말예요. 아, 그땐 정말 초라하고 우울한 때였어요.

노라 난 하나도 초라하고 우울하지 않았어요.

헬메르 (미소 지으며) 근데, 당신이 만든 그 장식들이 초라하긴 했지.

노라 또 그걸로 날 놀리는 거예요? 고양이가 들어와서 모조리 다 뜯어버린 걸 난들 어떻게 해요?

헬메르 그럼, 물론이지, 당신이 어떻게 할 수 있는 상황이 아니었어. 가족들을 즐겁게 해주고 싶어서 최선을 다했던 당신의 마음, 그게 중요한 거지. 이제 그런 고생은 더 이상 하지 않아도 되니 얼마나 다행이에요.

노라 맞아요, 정말 꿈만 같아요.

헬메르 이제 더 이상 혼자 앉아서 무료함과 싸울 필요도 없고 당신의 그 예쁜 눈과 부드러운 손을 혹사시키지 않아도 될 거예요.

노라 (손뼉을 치며) 맞아요, 정말이에요, 토르발트, 이제 안 그래도 되죠? 듣기만 해도 얼마나 좋은지 몰라요. (남편의 팔을 잡으며) 내가 생각해 본 게 있는데 들어봐요. 크리스마스가 지나면 우리 – (초인종이 울린다) 아! (방을 조금 정리하며) 이럴 땐 꼭 누가 오더라. 늘 이런 식이죠.

헬메르 난 집에 없는 거 잊지 말아요.

헬렌 (문 앞 복도에 서서) 사모님, 어떤 여자 분이 오셨는데요.

노라 알겠어. 들어오시도록 해.

헬렌 (헬메르에게) 박사님도 방금 도착하셨어요.

헬메르 서재로 바로 들어가셨나?

헬렌 네.

(헬메르, 서재로 들어간다. 헬렌, 여행복 차림을 한 린데 부인을 안내하고 문을 닫는다.)

린데 (기운 없이 망설이는 듯한 목소리로) 안녕, 노라.

노라 (확신 없이) 안녕하세요.

린데 내가 누군지 못 알아보겠지.

노라 잘 모르겠네요. 아, 잠시만, (소리치며) 어머, 크리스틴! 맞죠?

린데 맞아, 나야.

노라 크리스틴! 어떻게 몰라볼 수가 있지! 근데 몰라볼 수밖에 없네. (좀 더 작은 소리로) 정말 많이 변했어요, 크리스틴!

린데 그럼 물론 많이 변했지. 9년 아니 10년만이니까.

노라 우리가 본 게 그렇게 오래됐어요? 그래, 그러네요. 휴, 지난 8년은 정말이지 행복으로 가득한 시간이었어요! 그래, 이제 이곳으로 돌아왔군요. 겨울 내내 걸렸겠어요. 결정하는 게 쉽지 않았겠죠.

린데 오늘 아침 배편으로 도착했어.

노라 크리스마스를 보내러 온 거죠? 정말 잘됐다. 그래, 우리 오랜만에 즐겁게 보내요. 코트 좀 벗어요. 아직도 추운 건 아니죠? (린데가 코트를 벗는 것을 도우며) 자, 따뜻하게 난로 앞에 앉아요. 아니, 거기 안락의자요.

흔들의자는 내가 앉을게요. (그녀의 손을 잡으며) 이제야 예전 얼굴이 좀 보이네. 처음에 잠깐만 못 알아 본 거예요. 좀 창백해진 것도 같고 살도 좀 빠진 것 같고.

린데 나이도 더 들었고, 노라.

노라 응, 아주 조금, 진짜 아주 조금. 많이 안 들었어요. (갑자기 말을 멈추며 심각하게) 어머, 내 정신 좀 봐, 이렇게 앉아서 수다만 떨고 있네! 미안해요 크리스틴.

린데 무슨 말이야, 노라?

노라 (부드럽게) 크리스틴, 혼자 됐다면서요?

린데 응, 3년 전에.

노라 신문에서 읽어서 나도 알고 있었어요. 편지를 쓰려고 했었는데 매번 다른 일이 생겨서 계속 미루게 됐지 뭐에요. 정말이에요.

린데 노라, 걱정하지 마. 다 이해해.

노라 아녜요, 크리스틴, 내가 정말 나빴어. 얼마나 많은 일들을 겪었겠어요– 게다가, 남편이 유산을 하나도 안 남겼다면서요?

린데 맞아.

노라 아이도 없고?

린데 응.

노라 그럼 정말 아무것도 안 남겼네.

린데　하다못해 상실감조차도 안 남기고 떠났어.

노라　(못 믿겠다는 듯이 그녀를 바라보며) 하지만 크리스틴, 어떻게 상실감도 없을 수가 있어요?

린데　(지친 듯한 미소와 함께 노라의 머리를 쓰다듬으며) 어쩔 땐 그런 일이 일어나기도 해, 노라.

노라　그럼 완전히 혼자구나. 얼마나 힘들겠어요. 난 사랑스러운 아이들이 셋이나 있어요. 지금은 집에 없지만. 보모랑 나갔거든요. 그나저나 무슨 일이 있었는지 얘기 해줘요. 모조리 다.

린데　아, 아냐, 아냐, 네 얘기해줘.

노라　아녜요, 시작해요. 우리 오늘은 크리스틴 얘기만 해요. 오늘은 내 생각은 하나도 하지 않을 거야. 크리스틴 생각만 하자고요. 아, 그 전에 이거 하나는 꼭 얘기 해주고 싶어요. 얼마 전에 우리한테 얼마나 좋은 일이 생겼는지 알아요?

린데　무슨 일인데?

노라　남편이 은행 지점장이 됐어요!

린데　남편이! 정말 잘됐구나!

노라　그렇죠? 정말이야. 특히나 토르발트처럼 청렴하고 비도덕적인 일에는 손도 대지 않는 변호사에겐 말이에요. 물론, 나도 그이의 청렴주의에는 동의하지만요. 오, 얼마나 기쁜지 몰라요. 새해부터는 은행으로 출근

하고 당연히 그때부턴 월급이랑 수당도 엄청날 거예요. 이제부터는 완전히 달라진 삶을 살게 되는 거죠. 원하는 대로 말예요. 크리스틴 난 정말 너무 마음이 가볍고 행복해요. 돈은 많고 걱정할 일은 없는 그런 삶, 너무 멋지지 않아요?

린데 그래, 필요한 걸 살 수 있는 돈이 있다는 건 좋은 일이지.

노라 아니, 생필품만이 아니라, 돈 꾸러미가 잔뜩 있는 거예요.

린데 (미소 지으며) 노라, 노라. 넌 여전하구나. 학교 다닐 때도 돈을 엄청 잘 썼잖아.

노라 (조용히 웃으며) 토르발트도 그렇게 말해요. (아니라는 듯 손가락을 흔들며) 하지만 "노라, 노라"는 모두들 생각하는 것처럼 그렇게 단순하지 않아요. 정말이에요, 그동안은 내가 돈을 펑펑 쓰고 다닐 수 있는 상황이 아니었거든요. 우린 둘 다 일을 해야 했어요.

린데 노라도?

노라 다양한 일을 했어요. 바느질, 뜨개질, 자수 같은 일들. (무심한 듯) 그 밖에 다른 일들도. 우리가 결혼했을 때 토르발트가 부서를 떠났던 거 기억나요? 부서 안에서는 승진 기회가 없고, 우린 돈을 더 많이 벌어야 했거든요. 일을 그만 둔 첫 해에 그이는 정말 열심히 일했어요. 돈이 될 만한 일은 이것저것 다 하면서 아침부터 저녁 늦게까지. 그러다가 결국은 과로로 인해서 곧 죽을 사람처럼 병색을 보이기 시작했고 의사들은 남쪽으로 가서 요양을 하는 것이 중요하다고 했죠.

린데 그래, 꼬박 일 년 동안을 이태리에 있었지?

노라 맞아요. 이바르가 태어난 지 얼마 되지도 않았을 때라 쉬운 일은 아니었지만요. 그래도 우린 가야만 했어요. 아, 정말 아름답더라. 그렇게 해서 토르발트를 살렸어요. 돈은 정말 엄청나게 들었지만 말에요.

린데 그랬겠지.

노라 사천팔백 크로네니까. 정말 많은 돈이죠.

린데 그래도 돈이 있었으니 얼마나 다행이야.

노라 그렇죠, 아빠가 주셨으니까.

린데 그렇구나. 아버지께서 그즈음에 돌아가셨었지.

노라 맞아. 그 무렵이었어요. 아버지 병간호는 하지도 못했어요. 토르발트를 간호해야 했고 이바르도 태어나기 직전이었거든요. 크리스틴, 난 사랑하는 우리 아버지가 돌아가시기 전에 만나지도 못했어요. 그땐 정말 내 결혼생활 최악의 시기였죠.

린데 아버지에 대한 사랑이 남달랐다는 건 나도 알고 있어. 그럼, 돌아가시고 바로 이태리에 간 거야?

노라 돈이 마련되고 나서 한 달 후에 출발했어요. 의사들의 정말 강력하게 추천했거든요.

린데 그리고 남편은 완쾌가 되어서 돌아온 거야?

노라 완벽하게!

린데 그럼— 그 박사님은?

노라 박사님이라뇨?

린데 아까 그렇게 들었던 것 같은데? 나랑 같이 도착했던 그 분 말이야. 의사라고 했던 것 같은데.

노라 아, 랑크 박사님— 진찰하러 오신 게 아녜요. 우리랑 아주 친한 친구야. 하루에 한 번씩은 꼭 들리세요. 그 여행 이후로 토르발트는 한 번도 아픈 적이 없었고 아이들도 모두 튼튼해요. 나도 그렇고. (손뼉을 치고 벌떡 일어나며) 크리스틴! 이렇게 행복하게 살아 숨 쉬고 있다는 게 얼마나 아름다운 일이에요! 그런데 이렇게 끔찍하리만큼 내 얘기만 하고 있는 날 좀 봐. (크리스틴 옆에 있는 작은 의자에 앉아 무릎에 팔을 얹어 놓으며) 화내면 안 돼요! 자 이제 말 좀 해줘요. 남편을 사랑하지 않았다는 게 사실이에요? 그럼, 왜 그 사람이랑 결혼을 한 거예요?

린데 엄만 살아 계시긴 했지만 침대에서 일어날 수도 없을 만큼 아프셨고 어린 두 동생들도 돌봐야 하는 상황이었거든. 아무리 양심에 가책을 느껴도 그 사람을 거절할 수가 없었어.

노라 아냐, 잘한 거예요. 그 땐 그 사람이 부자였던 거죠?

린데 꽤 부자였다고 할 수 있지. 근데 사업이 좀 불안정 했어, 노라. 그리고 그 사람이 죽었을 땐 모든 게 무너지고 남은 게 하나도 없었어.

노라 그리곤?

린데 찾을 수 있는 일은 다했지. 작은 상점도 해보고, 아이들도 가르쳐 보고. 지난 삼년 동안은 쉴 새 없이 매일 매일 일만하면서 지냈어. 근데, 그것도 이제 끝났어, 노라. 우리 엄마는 이제 더 이상 내가 필요하지 않게 됐거든. 돌아가셨으니까. 동생들은 이제 다 커서 스스로 알아서 할 수 있고.

노라 이제 좀 자유롭겠네요－

린데 아니－ 말할 수 없이 공허해. 삶의 이유가 없어 진 것 같아. (불안한 듯 일어서며) 더 이상은 그 외롭고 적막한 곳에서 견딜 수가 없었어. 여기에 돌아오면 할 일도 찾을 수 있을 것 같고 마음 둘 곳도 찾을 수 있을 것 같아서 돌아온 거야. 일자리만 얻을 수 있다면 말이야. 사무직으로－

노라 하지만 크리스틴, 그건 힘든 일이에요. 피곤해 보이는데. 온천 여행이라도 떠나는 건 어때요?

린데 (창가 쪽으로 걸으며) 노라, 난 여행경비를 주실 아버지가 없어.

노라 (일어서며) 어머, 기분 나쁘게 생각하지 말아요.

린데 (노라에게 다가가며) 아냐, 노라, 불쾌하게 생각하지 않았으면 좋겠어. 나 같은 상황에 처하면 가장 안 좋은 건 말이야 마음속에 쓰라림을 안고 살아가야 한다는 거야. 누군가를 위해서 일을 하는 것도 아닌데 항상 기회를 잡기위해 발버둥 치거든. 살아야 하기 때문에 이기적이 될 수밖에 없는 거지. 네가 행복해 하면서 좋은 일이 있었다고 이야기하는데 난 노라를 위해서 라기보다는 나한테 좋을 것 같아서 기뻤거든.

노라 어떻게요? 아, 알겠어. 토르발트가 힘이 되어 줄 수 있겠다고 생각하는 거죠?

린데 맞아. 그럴 수도 있겠다고 생각했어.

노라 물론 그이는 그렇게 해줄 거예요, 크리스틴. 나한테 맡겨요. 내가 아주 조심스럽게 한번 얘기해 볼게요. 아주 그럴듯한 제안을 해서 설득되도록. 정말 도와주고 싶어요.

린데 정말 고마워, 노라. 사는 게 얼마나 힘든 건지 모를 텐데. 그래도 나를 이해하고 도와주려고 해줘서 더 고마워.

노라 내가? 내가 삶을 모른다고요?

린데 (미소 지으며) 그래, 바느질하고 뜨개질– 그런 거 하지. 노라는 아직 어린애야.

노라 (머리를 치켜들고 방 안을 배회하며) 그렇게 잘난 척하면서 얘기할 필요는 없잖아요.

린데 어?

노라 크리스틴도 다른 사람들하고 똑같아요. 나는 어려운 일을 해결할 수 있는 능력이 없다고 생각하죠.

린데 잠깐만—

노라 어려움이란 건 전혀 모르는 사람 취급을 하고요.

린데 노라, 아냐. 지금 방금 얼마나 어려운 일들이 많았는지 얘기해줬잖아.

노라 흠! 사소한 것들이죠! (조용하게) 진짜 큰일은 아직 말도 안했어요.

린데 큰일이라니? 그게 무슨 뜻이야?

노라 날 은근히 무시하는 거 알아요, 크리스틴. 근데 그러지 않는 게 좋을 거예요. 어머니를 위해서 오랫동안 열심히 일했다는 게 자랑스러운 거죠?

린데 난 누구도 무시하지 않아. 하지만 사실은 사실이지. 엄마가 걱정 없이 편안하게 마지막 순간까지 살 수 있도록 해드렸다는 게 뿌듯하고 행복해.

노라 동생들을 위해서 희생한 것도 뿌듯하게 생각하고요?

린데 그 정도의 권리는 있다고 생각해.

노라 나도 그렇게 생각해요. 그럼, 이것 좀 들어봐요. 나도 뿌듯하고 행복한 일이 있어요.

린데 물론 있겠지. 그래, 어떤 일인데?

노라 너무 큰 소리로 말고. 토르발트가 들어선 안 되거든요. 절대로, 무슨 일이 있어도 안 돼요. 아무도 알아서는 안 돼요. 크리스틴말고는 아무도.

린데 그래, 무슨 일인데?

노라 이리 와요. (크리스틴을 소파의 옆자리로 당기며) 나도 자랑스럽고 행복한 일이 있어요. 내가 바로 토르발트를 살려낸 장본인이거든요.

린데 살려내? 어떻게 살려냈다는 말이야?

노라 내가 이태리 갔던 거 얘기했죠? 우리가 이태리에 가지 못했다면 아마 토르발트는 살 수 없었을 거예요.

린데 물론이지, 아버지께서 다행히 비용을—

노라 (미소 지으며) 토르발트랑 사람들은 모두 그렇게 생각하죠, 하지만—

린데 하지만?

노라 아버지는 우리한테 아무것도 주지 않았어요. 내가 돈을 마련한 거예요.

린데 네가? 전부를?

노라 사천 팔백 크로네 전부 다. 어때요?

린데 그 돈을 다 어떻게 마련했어? 복권이라도 당첨 된 거야?

노라 (무시하듯) 복권? 그런 걸 일이라고 할 순 없지.

린데 그럼 돈을 어떻게 마련한 거야?

노라 (알 수 없는 미소와 함께 콧노래를 부르며) 흠, 트랄 라라 라!

린데 빌릴 수는 없었을 테고.

노라 안 돼요? 왜요?

린데 남편의 동의 없이 여자가 돈을 빌릴 수가 없잖아.

노라 (머리를 치켜세우며) 사업적 감각을 가진 여자라면, 약간의 처세술을 활용해서—

린데 노라, 난 이해가 안 가—

노라 이해할 필요 없어요. 누가 돈을 빌렸대요? 다른 방법으로 돈을 구했을 수도 있지. (다시 소파에 몸을 던지며) 아니면 날 좋아하는 어떤 사람 혹은 사람들에게 받았을 수도 있고. 나처럼 아름다운 여자에겐—

린데 미쳤어.

노라 궁금해 죽겠죠, 크리스틴.

린데 들어봐 노라, 너 설마 경솔한 짓을 한 건 아니겠지?

노라 (다시 바로 앉으며) 남편의 생명을 구하는 게 경솔한 짓이라는 거예요?

린데 남편이 모르게 그런 일을 했다면 경솔한 짓일 수도 있지.

노라 그게 요점이잖아요. 남편이 절대로 알아서는 안 된다! 안 그래요? 그이는 자기가 얼마나 위험한 순간까지

갔었는지 절대 알아서는 안 된단 말예요. 의사들은 나한테 와서 그이의 생명이 위험하다고 말했어요. 남쪽으로 요양을 가지 않으면 살 수 없다는 거죠. 그래서 난 작전을 시작했어요. 남편한테 나도 젊은 아내들처럼 외국 여행을 가고 싶다고 하면서 울고 떼쓰면서 우겼어요. 내 상태를 보라고, 제발 친절을 베풀어서 내가 하고 싶은걸 맘껏 해볼 수 있게 해달라고. 그러다가 슬쩍 대출을 받을 수도 있을 거라는 얘기를 해봤는데. 거의 폭파 직전까지 화를 내더라고요. 생각이 짧다고. 내가 원하는 대로 할 수 없게 하는 게 남편으로서의 의무라는 거예요. 그래서 생각했죠. '그렇다면, 내가 당신을 살려내는 수밖에 없겠군.' 하고요. 그 때 기회가 찾아 왔어요.

린데 그럼, 아버지께서 그 돈을 마련해준 적이 없다는 얘길 토르발트에게 안했어?

노라 아니, 아버지는 바로 그 때쯤 돌아가셨거든요. 아버지께 비밀을 이야기하고 절대로 다른 사람한테는 얘기하지 말아달라고 부탁할까 생각도 했지만 아버지는 그 때 많이 아프셨고– 그리곤, 슬프지만, 더 이상 상관없게 됐죠.

린데 그래서 그 후에도 남편한테 그런 얘길 안 했단 말이지?

노라 절대 안 돼요! 그이는 특히 돈 문제에 대해서는 굉장히 엄격해요. 게다가 나한테 빚을 진 걸 알게 되면, 토르발트는 남자로서의 자존심이 엄청 강하기 때문에 굉장한 모멸감을 느낄 거예요. 그럼, 우리 관계는 완전히 망가지게 될 테고 우리의 아름답고 행복한 가정은 절대 유지될 수 없을 거라고요.

린데 앞으로도 얘기 안 한다고?

노라 (살짝 미소를 띠며 생각이 많은 듯) 어쩌면, 언젠가는—내가 더 이상 아름답지 않을 때. 웃지 마요, 내 말은 남편이 더 이상 나를 그렇게 사랑하지 않을 때를 말하는 거예요. 더 이상 내가 춤추는 것을 보고 싶어 하지도 않고 옷을 차려입고 시를 낭독하는 것에도 관심이 없을 때. 그 때를 위해서 이런 건 좀 아껴 두는 게 좋겠다는 말이에요. (생각을 끊으며) 말도 안 돼! 그런 일은 절대 없을 거야! 크리스틴, 내 비밀에 대해서 어떻게 생각해요? 나도 할 수 있는 게 있죠? 물론, 이 일이 지금까지 어떻게 나를 지속적으로 괴롭히고 있는지 궁금하겠죠? 매달 이자를 갚아나가는 일은 보통일이 아녜요. 잘 들어요, 이런 비즈니스에선 말예요 '분기별 이자'라든지 '분할 상환'이라는 게 있어. 그런데 날짜를 맞춰서 내는 게 여간 어려운 게 아니거든요. 그래서 최대한 절약했어요. 생활비를 아껴서 돈을 모은다는 게 쉽지 않더라고요. 토르발트의 여유로운 생활패턴을 유지해줘야 하고 아이들도 옷을 초라하게 입힐 수는 없으니까요. 아이들 몫으로 받은 돈은 아이들을 위해서 쓰지 않을 수 없잖아요— 사랑하는 우리 아이들!

린데 그럼, 노라가 쓸 돈을 아껴서 돈을 모았겠구나.

노라 정말이지 내가 어떻게 하느냐에 달려있었어요. 토르발트가 옷을 사라고 돈을 주면 가장 싸고 단순한 걸 골라서 절대로 절반 이상의 돈은 쓰지 않았어요. 다행인건 난 뭐든 잘 어울려서 토르발트가 눈치 채지 못한 거죠. 그래도 그런 게 날 우울하게 할 때도 있었어요, 크리스틴. 좋은 옷을 입는 즐거움도 있으니까. 알죠?

린데 그럼, 물론이지.

노라 그러다가 지난겨울에는 다른 방법으로 돈을 벌기도 했어요. 운 좋게도 엄청난 양의 사본을 만들게 됐거든요. 저녁때마다 방 안에 문을 잠그고 앉아서 글을 썼어요. 피곤하고 지쳤지만 그렇게 앉아서 일을 해서 돈을 버는 게 재미있더라고요. 남자가 된 기분이라고 할까.

린데 그렇게 해서 지금까지 빚은 얼마나 갚았어?

노라 확실하게 말하기가 좀 어려워요. 이 계좌들이 정확하게 산출해내는 게 쉽지가 않더라고요. 내가 아는 건 난 내가 할 수 있는 한 최선을 다해서 갚아나가고 있다는 거예요. 어디에 도움을 요청해야 할지 모를 땐 (웃으며) 여기 앉아서 늙고 돈 많은 신사가 나와 사랑에 빠지는 꿈을 꾸기도 해요.

린데 뭐? 누군데?

노라 그 사람이 죽게 되고, 유언장을 열게 되는 거예요. 유언장에는 큰 글씨로 이렇게 쓰여 있죠. "나의 모든 재산은 전액 현금으로 고혹적인 여인 노라 헬메르 부인에게 남긴다."

린데 노라, 그 신사가 도대체 누구야?

노라 맙소사, 정말 못 알아듣는 거예요? 진짜 있는 사람이 아니고, 내가 가끔씩 정말 돈 때문에 힘들 때 상상하는 거예요. 하지만 아무렴 어때요. 이제 그게 진짜든 아니든 아무 상관없으니까. 난 자유예요. (벌떡 일어서며) 얼마나 좋은 줄 알아요, 크리스틴! 걱정 없는 삶! 걱정이 없는 거야, 정말 아무걱정도 없이 아이들과 놀아주고 아늑하고 편안한 집을 꾸미고— 토르발트가 나에게 원하는 모든 것들 그대로. 그리고 하늘이 파란 봄이 오면 잠깐 여행도 다녀오고. 어쩌면 다시 바다를 볼 수도 있겠네. 이렇게 살아서 행복을 느낄 수 있다는 것, 그 자체가 놀라운 일이에요.

(현관에서 초인종 소리가 울린다.)

린데 (일어서며) 누가 왔나보네, 난 이제 가야겠어.

노라 아냐, 그냥 있어요. 올 사람이 없는데. 토르발트를 찾아온 걸 거예요.

헬렌 (복도 쪽에서) 사모님- 어떤 남자 분이 변호사님을 만나 뵈러 오셨는데요. 변호사님은 지금 박사님과 함께 계셔서 어떻게 해야 할지-

노라 누구시지?

크로그스타트 (문 쪽으로 다가서며) 접니다, 헬메르 부인.

(린데, 깜짝 놀라며 몸을 돌려 창문을 향해 선다)

노라 (긴장한 듯 그에게 다가가 낮은 목소리로 속삭이듯) 당신이? 무슨 일이시죠? 남편과는 왜 만나려고 하시는 거예요?

크로그스타트 은행업무과 관련된 것입니다. 제가 은행에서 작은 직책을 맡아서 일하고 있는데, 소문에 남편께서 곧 저희 은행 지점장이 되실 거라는-

노라 그럼-?

크로그스타트 업무관련 내용입니다. 그 외엔 없습니다.

노라 네, 서재로 들어가 보세요.

(노라는 크로그스타트가 복도 쪽으로 사라지는 것을 본 뒤

무심하게 고개를 끄덕이며 방 안쪽으로 돌아와 난로를 휘적거린다.)

린데 노라, 저 사람은 누구야?

노라 크로그스타트 씨. 아는 사람이에요?

린데 알았었지. 몇 년 전에. 한동안 우리 지역에 법원 서기로 있었어.

노라 맞아, 그랬었어요.

린데 많이 변했네.

노라 결혼생활이 힘들었다고 들었어요.

린데 지금은 혼자라던데.

노라 아이들도 많다고 하더라고요. 됐다, 이제 불이 다시 잘 타네요.

(난로 뚜껑을 닫고 흔들의자를 한 쪽으로 옮긴다.)

린데 소문엔 이것저것 안 하는 일이 없다던데?

노라 그래? 그럴 수도 있지요, 나야 잘 모르지만. 우리 그 사람 생각은 하지 말아요. 지루해.

(랑크 박사가 헬메르의 서재에서 나온다.)

랑크 (문 가까이에 서서) 아냐, 아냐, 진짜, 방해하고 싶지 않아. 난 자네 부인과 잠시 이야기나 하고 있지 뭐. (문을 닫고 나서 린데를 발견한다.) 아, 실례했습니다. 여기도 내가 방해를 하는군요.

노라 아니에요. 전혀요. (소개하며) 랑크 박사님, 린데 부인.

랑크 그렇군요. 이 집에서 종종 듣던 이름이네요. 들어올 때 입구에서 마주쳤던 분이시지요.

린데 네, 맞아요. 저는 계단에선 천천히 다니는 편이에요. 힘이 들어서요.

랑크 음, 어디 불편하신 데라도 있으신가요?

린데 그보다는 과로 때문이 아닌가 싶어요.

랑크 다른 일은 아니고요? 그렇담, 좋은 사람들을 만나 휴식을 취하고자 오신 거군요?

린데 일자리를 찾으려고 왔습니다.

랑크 과로에 맞는 처방은 아닌 것 같은데요?

린데 살아야만 하니까요, 박사님.

랑크 그렇죠. 다들 그렇게 생각하죠.

노라 오, 무슨 말씀이세요, 박사님. 박사님도 엄청 살고 싶어 하시잖아요.

랑크 네, 그럼요. 아무리 끔찍한 인생이라도 영원하길 바라죠. 내 환자들도 모두 같은 생각을 하죠. 도덕적으로 문제가 있는 사람들까지도 같은 생각을 합니다. 바로 저 안에 토르발트와 함께 있는 저 사람 같이-

린데 (조용히) 아!

노라 누구 말씀이세요?

랑크 크로그스타트라는 변호사말입니다. 부인께서 알만한 부류의 사람이 아니죠. 뼛속까지 썩어 있는 저런 사람도 들어와서는 본인이 사는 게 대단히 중요한 일인 것처럼 떠들어대기 시작한단 말입니다.

노라 토르발트와는 무슨 이야기를 하고 싶어 하는 걸까요?

랑크 잘 모르겠습니다. 은행 관련 이야기를 하는 것 같기는 하더군요.

노라 저는 그 크로그— 크로그스타트라는 분이 은행과 관련이 있는 줄은 몰랐어요.

랑크 네, 무슨 업무를 맡고 있는 것 같더군요. (린데에게) 혹시 부인 주변에도 저런 인간이 있었는지 궁금하군요. 저런 사람들은 여기저기 기웃거리고 다니면서 냄새를 맡고 다니죠. 그러다 도덕적 기준이 약한 부류의 인간들을 찾으면 바로 그 안에서 가장 수익성이 좋을 만한 곳에 사람을 유인해 놓고 문제를 일으킬 때까지 감시하죠. 건강한 생각이라는 것은 존재하지 않아요.

린데 저는 그들도 환자이기 때문에 도움이 필요하다고 생각해요.

랑크 (어깨를 으쓱하며) 네, 물론이죠. 바로 부인 같은 생각이 이 사회를 하나의 거대한 병원으로 만들고 있는 겁니다.

노라 (노라, 혼자 생각에 잠겨 있다가 조용히 웃으며 손뼉을 친다.)

랑크 왜 웃는 거죠? 이 사회를 위한 좋은 아이디어라도 떠오른 건가요?

노라 제가 왜 이렇게 진부한 사회에 신경 쓰겠어요. 저는 완전히 다른 생각을 하고 있었어요. 정말 재미있는 일이요. 박사님, 말씀 좀 해주세요. 앞으론 은행에 있는 모든 사람들이 토르발트에게 의존하게 되는 건가요?

랑크 그게 정말 재미있는 일이라는 건가요?

노라 (미소와 함께 콧노래를 부르며) 신경 쓰지 마세요, 신경 쓰지 마세요! (방 안을 돌아다니며) 토르발트가 그렇게 큰 힘을 갖게 됐다는 건 정말 생각만 해도 신나는 일이에요. (주머니에서 봉지를 꺼내며) 박사님, 마카롱 드실래요?

랑크 무슨 마카롱이요? 이 집에선 금지가 아니던가요?

노라 맞아요. 하지만 크리스틴이 준걸요.

린데 뭐? 내-?

노라 오, 놀라지마! 토르발트가 금지한다는 걸 알 턱이 없잖아요. 내 이가 썩을까봐 못 먹게 하는 거예요. 한번쯤이야 뭐. 안 그래요, 박사님? 드세요. (마카롱 한 개를 그의 입 속에 밀어 넣으며) 자 드세요. 크리스틴도 하나. 그리고 나도 하나. 작은 걸로 하나- 아님, 최대

두 개까지. (방 안을 돌아다니며) 난 너무 행복해요. 이제 딱 하나, 간절하게 원하는 소원 딱 하나밖에 남지 않았어요.

랑크 그래, 그게 뭐죠?

노라 토르발트가 꼭 듣도록 크게 말하고 싶은 간절한 소원이에요.

랑크 그런데 왜 말을 못하죠?

노라 용기가 안나요. 너무나도 놀랄 일이라서.

린데 놀랄 일?

랑크 그렇다면 말을 하라고 조언할 수 없지만, 우리끼리라면야 뭐. 토르발트가 한번 들었으면 하는 이야기가 뭐죠?

노라 큰 소리로 한번 '젠장 엿 같다!'하고 소리치고 싶어요.

랑크 제 정신입니까?

린데 노라－!

랑크 말하세요, 저기 토르발트가 오네요.

노라 (마카롱 봉지를 감추며) 쉿! 쉿!

(헬메르가 손에는 모자를 들고, 팔에 코드를 걸친 채 서재에서 나온다.)

노라 (남편에게 다가가며) 여보 토르발트, 그 사람은 갔어요?

헬메르 응, 방금 나갔어요.

노라 소개할 사람이 있어요. 크리스틴이에요. 조금 전에 도착했어요.

헬메르 크리스틴? 실례지만, 제가…?

노라 린데 부인이요, 여보. 크리스틴 린데 부인.

헬메르 아, 그렇군요. 노라의 어릴 적 친구시겠죠?

린데 네, 어릴 때부터 서로 알고 지냈어요.

노라 그런데 생각해 봐요, 여보. 당신하고 이야기하고 싶어서 그 먼 길을 왔대요.

헬메르 무슨 말씀이신지? 린데 부인, 전—

린데 아니, 꼭 그런 것만은 아니—

노라 크리스틴은 아주 유능한 경리직원이에요. 요즘은, 특히나 당신 같은 유능한 리더 밑에서 일하면서 더욱 완벽하게 성장하고 싶어해요.

헬메르 현명하시네요, 린데 부인.

노라 그래서 당신이 이번에 은행장이 된다는 소식을 듣고 — 내가 전보로 알렸거든요— 최대한 빨리 이곳으로 달려 온 거예요. 그러니 토르발트 여보, 날 봐서라도 크리스틴을 좀 도와줄 수 있겠죠? 그죠?

헬메르 전혀 불가능한 일이야 아니지요. 미망인이신 거죠?

린데 네.

헬메르 경리 업무에 경험이 있으시고요?

린데	네 꽤 있어요.
헬메르	아! 그렇다면 아마도 부인께 도움이 되어 드릴 수 있을 것 같군요.
노라	(손뼉을 치며) 그 봐, 내가 말했죠?
헬메르	운이 굉장히 좋은 편이시군요, 린데 부인.
린데	어떻게 감사를 드려야 할지 모르겠어요.
헬메르	괜찮습니다. (코트를 입으며) 실례해도 괜찮으시다면—
랑크	잠깐, 나도 같이 가자고. (입구 쪽 통로에서 털 코트를 가져와 난로 앞에 펼쳐 따뜻하게 한다.)
노라	너무 늦게 오진 마세요, 토르발트.
헬메르	한 시간 정도, 그 이상은 안 걸려요.
노라	크리스틴도 가는 거예요?
린데	(망토를 두르며) 응, 이제 나가서 방을 구해야지.
헬메르	오, 그럼 함께 나가면 되겠군요.
노라	(린데를 도우며) 우리 집이 너무 작아서 이렇게 섭섭하게, 근데 정말 어쩔 수가—
린데	그런 생각은 하지도 마. 안녕, 노라 그리고 정말 고마워.
노라	그래요 지금은 안녕. 오늘 저녁때는 다시 올 거죠? 랑크 박사님도요? 컨디션 좋으면요? 당연히 좋을 거예요. 따뜻하게 잘 입으시고요.

(이야기를 나누며 문 쪽으로 향한다. 층계에서부터 아이들의 목소리가 들린다.)

노라 아이들이네! 우리 예쁜 아가들! (문 쪽으로 달려가서 문을 연다. 앤-마리가 아이들과 함께 들어온다)

노라 들어오렴, 들어와! (아이들에게 키스를 하며) 오, 예쁜 천사들! 봐요, 크리스틴! 너무 예쁘지 않아요?

랑크 어물쩍거리지 말고 가시지요.

헬메르 가시죠, 린데 부인. 엄마가 아닌 사람들은 견디기 힘들 겁니다.

(랑크, 헬메르, 린데 퇴장. 보모가 아이들을 데리고 안쪽으로 들어온다. 노라, 문을 닫는다.)

노라 정말 생글생글하고 씩씩해 보이네. 볼 빨간 것 좀 봐. 사과랑 장미꽃 같아. (다음에 말하는 동안 아이들이 계속 방해한다.) 재밌게 놀았어? 잘 했네. 정말? 에미랑 밥 썰매를 태워줬다고? 두 명을 한번에? 잘 했네. 우리 똑똑한 이바르. 잠깐만 내가 안고 있을게, 앤-마리. 우리 예쁜 인형! (보모에게서 막내 아이를 받아서는 위아래로 올렸다 내렸다하며 춤을 춘다.) 그래, 그래, 밥도 엄마랑 춤추자. 정말! 눈싸움을 했어? 엄마도 같이 했으면 좋았을걸. 아냐, 아냐, 앤, 내가 벗겨 줄게. 내가 할게. 재밌단 말이야. 어서 들어가 봐. 꽁꽁 얼어붙은 사람 같아. 난로 위에 따뜻한 커피도 있어. (보모, 왼쪽 방으로 간다. 노라, 아이들의 외투며 하는 것들을 벗겨 바닥에 그냥 내려놓는다. 아이들은 지속적으로 그녀에게 이야기한다.) 정말? 커다란 개가 따라왔어? 물지는 않았고? 아니, 강아지들은 착하고 인형같이 작은 아이들은 물지 않아. 상자 속은 보면 안 돼, 이바르. 뭐냐고? 알아맞혀 볼래? 아, 알고 싶지? 아니, 아니, 지저분한 거야. 이리와, 우리 놀이할까? 무슨 놀이를 할까? 숨바꼭질? 그래, 숨바꼭질 하자. 밥이 먼저 숨을까? 내가 숨어? 그래 그럼, 엄마가 먼저 숨을게.

(노라와 아이들이 방 안팎을 오가며 즐겁게 숨바꼭질을 하며 뛰어 놀고 있다. 노라가 테이블 밑에 숨는다. 아이들이 몰려 들어와서 찾지만 그녀를 보지 못한다. 노라가 입을 막고 웃는 소리에 아이들이 테이블보를 올리고 노라를 찾는다. 커다란 웃음소리가 터져 나온다. 노라가 아이들을 겁주려는 듯 앞으로 기어 나온다. 또 한 번의 웃음소리. 누군가 현관문에서 노크를 하는 소리가 들리지만 아무도 듣지 못한다. 반쯤 열린 문틈으로 크로그스타트가 나타난다. 놀이가 계속되는 동안 잠깐 기다린다.)

크로그스타트 실례합니다, 헬메르 부인.

노라 (놀란 듯한 비명과 함께, 돌아보고 무릎으로 서며) 어머나, 웬일이세요?

크로그스타트 실례합니다. 현관문이 열려 있어서요. 닫는 것을 깜빡 잊었었나 봅니다.

노라 (일어서며) 남편은 외출중이예요, 크로그스타트 씨.

크로그스타트 알고 있습니다.

노라 그럼 용건이 뭐죠?

크로그스타트 부인과 잠깐 이야기를 좀 나누고 싶습니다.

노라 저랑요? (아이들에게 부드럽게) 앤-마리한테 가 있겠니? 뭐라고? 아냐, 아저씨는 엄마를 헤치지 않아. 아저씨 가시면 엄마랑 또 다른 놀이하자. (아이들을 왼쪽에 있는 방으로 들여보내고 문을 닫는다. 그리곤, 불안하고 긴장한 태도로) 저한테 하실 이야기가 있다고요?

크로그스타트 네, 그렇습니다.

노라 오늘요? 하지만 아직 1일이 아닌데요?

크로그스타트 아니요. 오늘은 크리스마스이브죠. 그리고 부인께서 얼마나 즐거운 크리스마스를 보내게 될 지는 부인에게 달려 있습니다.

노라 뭘 원하시는 거죠? 오늘은 정말 불가능한–

크로그스타트 그 이야기는 차차 하도록 하죠. 지금은 다른 이야기를 좀 드려야겠습니다. 잠시 시간을 내주실 수 있겠지요?

노라 네— 네, 괜찮아요. 하지만—

크로그스타트 좋습니다. 조금 전에 길 옆 식당에 잠시 앉아 있다가 남편 분께서 지나가시는 걸 봤습니다.

노라 그래요?

크로그스타트 어느 여성분과 함께요.

노라 그런데요?

크로그스타트 실례가 안 된다면, 혹시 그 분이 린데 부인 아닌가요?

노라 맞아요.

크로그스타트 방금 전에 이곳에 도착했나 보죠?

노라 네, 오늘 도착했어요.

크로그스타트 부인의 친한 친구 분이라고 알고 있는데, 맞나요?

노라 네, 그래요. 그런데 그게 무슨—

크로그스타트 저도 그 분을 알고 지낸 적이 있었죠. 오래전이긴 하지만.

노라 알고 있어요.

크로그스타트 그래요? 알고 계시는군요. 그럴 줄 알았습니다. 그럼 더 이상 지체할 것 없이 단도직입적으로 묻겠습니다. 린데 부인이 은행에 취직을 하게 되는 것인가요?

노라 무슨 권리로 그런 걸 묻는 거죠, 크로그스타트 씨? 당신은 제 남편의 부하직원이 아니시던가요? 하지만 질문을 하셨으니 알려드릴게요. 맞아요. 린데부인은 곧 은행에서 일을 하게 될 거예요. 그리고 말씀드리지만 그건 제가 아주 간곡하게 부탁을 했기 때문이에요.

크로그스타트 역시 제 생각이 맞았군요.

노라 (무대를 서성이며) 가끔씩은 저도 작은 영향력 정도는 행사할 수 있답니다. 그래야죠. 여자라고 해서 아무런 영향력도 없는 것은 아니니까요. 남의 밑에서 일을 하려면요, 크로그스타트 씨, 상대방에게 모욕감을 주는 일은 특히나, 그 상대방이— 상대방이—

크로그스타트 영향력 있는 사람일 때는 말이죠?

노라 그래요, 정확하게 맞혔어요.

크로그스타트 (어조를 바꾸어) 그렇다면 헬메르 부인, 부인의 그 영향력을 저를 위해 좀 써 주실 수 있을까요?

노라 네? 무슨 말씀이시죠?

크로그스타트 제가 은행에서 제 자리를 유지할 수 있도록 힘 써 주십시오.

노라 그게 무슨 말씀이세요? 누가 당신 자리를 뺏으려고 해요?

크로그스타트 그렇게 모르는 척 하실 필요 없습니다. 부인의 친구분께서 되도록 저를 만나고 싶어 하지 않을 거라는 것 잘 알고 있습니다. 이렇게 쫓겨나게 된 것이 누구 덕분인지도 잘 알겠습니다.

노라 아니 제가 장담하건데—

크로그스타트　네, 그렇겠죠. 요점만 말씀드리자면, 이제 부인의 영향력을 저를 위해 쓰셔야 할 겁니다.

노라　하지만, 크로그스타트 씨. 저는 그런 영향력이 없어요.

크로그스타트　없다고요? 방금 제게 직접—

노라　그런 뜻으로 말씀드린 건 아니었어요. 어떻게 제가 남편에게 그런 식으로 영향력을 끼칠 수 있을 거라고 생각하실 수가 있어요?

크로그스타트　저는 남편 분을 학교 때부터 알고 지내왔습니다. 다른 남편들보다 더 아내에게 헌신적인 남편일 거라 생각되는데, 아닌가요?

노라　제 남편을 모욕하시려거든 지금 이 집에서 나가 주세요.

크로그스타트　상당히 대담하시군요. 헬메르 부인.

노라　난 이제 당신이 두렵지 않아요. 새해가 되면 모든 게 정리 되고, 난 자유로워질 테니까요.

크로그스타트　(자제하면서) 제 말을 좀 들어보세요, 헬메르 부인. 전 은행의 그 보잘 것 없는 자리 하나를 위해서 제 평생을 바쳐 싸울 준비가 되어 있습니다.

노라　네, 그렇게 보이네요.

크로그스타트　단순히 돈 때문만은 아니지요. 사실 돈과는 무관하다고 해도 과언은 아닙니다. 다른 이유가 있습니다— 말씀 드리는 게 좋겠군요. 제 입장은 이렇습니다. 잘 알고 계시겠지만, 몇 해 전 저는 경솔한 행동을 한 적이 있습니다.

노라 들은 적이 있는 것 같군요.

크로그스타트 재판까지 가지는 않았지만, 그 후로 저에겐 기회라는 것이 주어지지 않았습니다. 그래서 전 부인께서 잘 아시는 그 일을 시작했습니다. 뭐라도 해야만 했죠. 솔직히 말씀드리는데 전 제가 최악이라고 생각하지는 않습니다. 하지만 이젠 그런 일에서 손을 떼고 싶습니다. 아들들이 커가고 있고– 이 아이들을 위해서라도– 사회에서 존중받는 일을 해야겠다는 생각이 듭니다. 은행에서 일하는 것이 그 시작입니다. 그런데 부인 남편께서 저를 다시 진흙탕으로 내던지려고 하고 있습니다.

노라 하지만 절 믿으셔야 해요, 크로그스타트 씨. 전 정말 당신을 도와드릴 힘이 없어요.

크로그스타트 그건 부인이 의지가 없기 때문이겠죠. 전 부인이 그렇게 할 수 밖에 없도록 할 수도 있습니다.

노라 제가 당신한테서 돈을 빌렸다는 얘기를 남편에게 하겠다는 말은 아니겠죠?

크로그스타트 흠– 만약에 한다면요?

노라 당신은 정말 소문 그대로군요. (흐느끼며) 작은 즐거움이자 자랑이었던 제 비밀을 그렇게 추악하고 비열한 방법으로 남편이 알게 된다면— 더구나 당신이 입을 통해서— 저는 굉장히 안 좋은 상황에—

크로그스타트 안 좋기만 할까요?

노라 (격렬하게) 그럼, 그렇게 하세요!— 당신한테 더 안 좋을 테니까. 남편은 당신이 얼마나 나쁜 사람인지를 보게 될 테고 그렇게 된다면 당신은 반드시 직장을 잃게 될 테니까요.

크로그스타트 부인께서는 단순히 집안에서의 안 좋은 분위기만 걱정하고 계시는 건지 물었습니다.

노라 남편이 알게 된다면 바로 잔금을 정리해줄 거예요. 그리고 나면 더 이상 당신과 상대할 일이 없겠죠.

크로그스타트 (한 발 가까이 다가오며) 잘 들어보세요, 헬메르 부인. 기억력이 상당히 나쁘시거나 이런 일에 대해서 전혀 모르시나 본데, 상세한 설명이 좀 필요하겠군요.

노라 무슨 말이죠?

크로그스타트 남편께서 아프셨을 때 부인께서는 사천팔백 크로네를 빌리러 오셨지요.

노라 달리 찾아갈 만한 곳이 없었어요.

크로그스타트 저는 부인에게 그 돈을 빌려 드리기로 약속했습니다.

노라 네, 그랬죠.

크로그스타트 그리고 그 돈을 빌려드리는 데에는 조건이 있었습니다. 아픈 남편을 위해 최대한 빠른 시일 내에 여행 경비를 마련해서 떠날 생각에 부인께서는 이 조건들을 자세히 살펴보실 겨를이 없었던 것 같습니다. 그러니 지금 제가 다시 한 번 말씀 드려야 할 것 같군요. 자. 저는 당시 제가 작성한 차용증서를 받고 부인께 돈을 빌려드리기로 했습니다.

노라 네, 제가 서명을 했고요.

크로그스타트 맞습니다. 그리고 아버님께서 보증인으로 서명을 하실 수 있도록 별도의 서명란을 만들어서 드렸지요. 거기에 아버님께서 직접 서명하시는 것이었고요.

노라 네 그렇게 하시기로 했고 그렇게 하셨죠.

크로그스타트 저는 날짜를 명기하지 않은 채로 서류를 넘겨드렸습니다. 다시 말해서 아버님께서 서명과 함께 날짜를 직접 적어 넣으시도록 했단 말입니다. 기억하시겠죠, 헬메르 부인?

노라 네, 그랬던 것－

크로그스타트 그리고 전 차용증서를 아버님께 보내드릴 수 있도록 부인께 전달해 드렸습니다. 그렇죠?

노라 네.

크로그스타트 그리고 당연히 부인께서는 곧 바로 아버님께 서류를 보내드렸죠－ 그럴 수밖에 없었던 것이－ 부인은 5-6일도 채 되지 않아 서명이 되어 있는 차용증을 제게 가지고 오셨습니다. 그리도 돈을 가져가셨죠.

노라 네, 그리고 저는 납부일을 정확히 맞춰서 그 돈을 갚아 나가고 있어요. 아닌가요?

크로그스타트 네 그렇다고 할 수 있죠. 그런데― 제 말의 요점으로 돌아가자면― 그 때가 부인께는 매우 어려운 시기였다고 말할 수 있을 것 같습니다.

노라 네, 그랬죠.

크로그스타트 제가 알기론 아버님께서 건강이 아주 많이 안 좋으셨죠.

노라 맞아요. 우린 모두 아버지의 임종을 준비하고 있었죠.

크로그스타트 얼마 못가서 아버님은 돌아가셨고요?

노라 그래요.

크로그스타트 그렇다면 말입니다, 헬메르 부인. 혹시 아버님께서 돌아가신 날짜를 기억하십니까? 몇 월 며칠이었는지?

노라 아버지는 9월 29일에 돌아가셨어요.

크로그스타트 정확합니다. 저도 이미 확인을 해봤거든요. 그런데 궁금한 것이 있습니다. (서류 한 장을 꺼내며) 도저히 이해가 가지 않는 일입니다만―

노라 궁금이요? 무슨 말씀이신지―

크로그스타트 아버님께서 돌아가신지 3일 후에 서류에 서명을 하셨단 말입니다.

노라 어떻게―? 전 이해가 가지 않는군요.

크로그스타트 아버님께서는 9월 29일에 돌아가셨지요. 그런데 보세요. 여기 아버님은 10월 2일에 이 서류에 서명을 하신 것으로 되어 있습니다. 이상하지 않으세요, 헬메르 부인? (노라, 말이 없다.) 설명을 부탁드려도 될까요? (노라, 말이 없다.) 또 눈에 띄는 것은 말입니다. "10월 2일"과 년도는 아버님의 필체가 아니라는 것입니다. 제 생각엔 제가 본적이 있는 필체 같습니다. 물론 이런 상황이야 쉽게 이해할 수 있죠. 아버님께서 서명을 하시면서 날짜를 적는 것을 깜박하셨고 누군가가 아버님을 대신해서− 엉성하긴 하지만− 사람들이 아버님이 돌아가신 사실을 알기 전에 적어 넣은 것이겠죠. 문제가 될 것이 아닙니다. 그럼 서명을 봐야 하는데. 의심할 것도 없겠지요, 헬메르 부인? 아버님께서 직접 이 서류에 서명하신 것이니까요, 그렇지요?

노라 (잠시 침묵, 머리를 뒤로 젖히며 반항하듯) 아니요. 제가 아버지 대신 서명했어요.

크로그스타트 잠시만요. 이런 말씀이 위험하다는 것은 알고 계시겠죠?

노라 왜죠? 당신 돈은 곧 드릴 거예요.

크로그스타트 그럼 한 가지 묻겠습니다. 왜 아버님께 그 서류를 보내지 않으셨죠?

노라 할 수 없었어요. 아버진 많이 아프셨고, 아버지께 서명을 부탁드리려면 돈이 어디에 필요한지도 말씀 드려야 하잖아요. 아픈 아버지께 남편의 생명이 위험하다는 얘긴 할 수 없었죠. 그렇겐 할 수 없었어요.

크로그스타트 그랬다면 여행을 포기하시는 게 낫지 않았을까요.

노라 그럴 수 없었어요. 남편의 생명을 구하기 위한 것이었다고요. 그걸 포기할 순 없었어요.

크로그스타트 부인은 그게 사기라는 생각은 못하셨습니까?

노라 그런 생각까지 할 여유가 없었어요. 당신까지 걱정할 상황은 아니었으니까요. 당시엔 남편이 그렇게 아픈 것을 알면서도 이것저것 조건을 걸며 일을 복잡하게 만드는 당신을 견딜 수가 없었어요.

크로그스타트 헬메르 부인, 부인께서는 본인이 지금 어떤 상황에 처해있는지를 전혀 인지하지 못하시는 것 같군요. 제가 이것 한 가지는 말씀드릴 수 있습니다. 부인께서 하신 행동은 제가 과거에 저질렀던 일과 비교했을 때 너 낫지도 더 나쁘지도 않다는 것입니다. 당시의 그 일은 제 평판을 바닥으로 떨어뜨렸죠.

노라 당신이요? 지금 당신도 아내의 생명을 구하기 위해 용감하게 나선 적이 있었단 말을 하시는 건가요?

크로그스타트 법은 범죄 동기에 따라 다르게 적용되지 않습니다.

노라 그렇다면 그 법은 정말 형편없는 법이군요.

크로그스타트 형편이 있든 없던— 제가 이 서류를 법원에 제출하면 부인께선 그 법의 심판을 받게 되겠죠.

노라 그건 말이 되지 않아요. 딸이 아픈 아버지를 근심과 걱정으로부터 보호할 권리가 없다는 말씀이신가요? 아내가 남편을 구할 권리가 없다는 말씀이신가요? 전 법에 대해서는 잘 모르지만, 법전 어딘가에 이런 것들에 대한 예외 조항이 있을 것이라 확신해요. 그런데 당신은 그걸 모르시는군요. 법을 다루시는 분이? 역시 엉터리 변호사시군요.

크로그스타트 그럴지도 모르죠. 그렇지만 이 일에 대해서는— 부인과 제 일에 대해서 말입니다— 제가 더 잘 알고 있을 거라는 생각이 안 드십니까? 좋습니다. 부인께서 원하시는 대로 하시지요. 하지만 이것 한 가지는 분명히 말씀드리겠습니다. 다만 만약 이번에 제가 은행에서 쫓겨나게 된다면 부인 또한 같은 일을 겪게 되실 겁니다. (인사를 한 후 퇴장한다.)

노라 (잠시 생각에 잠긴 듯 멈추었다 곧 머리를 흔들며) 아, 정말? 날 겁주려고 하는 거야! 난 그렇게 멍청하지 않다고. (아이들의 옷들을 주워 모으다가 곧 멈추며) 하지만—? 아냐, 그건 불가능해! 사랑하는 사람들을 위해서 한 일이잖아.

아이들 (왼편 문 쪽에서) 엄마, 그 이상한 아저씨 나갔어요.

노라 그래, 그래, 알아. 근데 그 이상한 아저씨에 대해선 아무한테도 말하면 안 돼. 알겠지? 아빠한테도.

아이들 알겠어요, 엄마. 이제 우리랑 다시 놀 거죠?

노라 아니, 지금은 안 돼.

아이들 아, 엄마, 우리랑 약속했잖아요.

노라 그래, 근데 지금은 안 돼. 안으로 들어가. 엄마가 할 일이 좀 많아. 어서, 어서 들어가, 예쁜 우리 아가들. (아이들을 조심스럽게 방으로 들여보내고 문을 닫는다. 소파에 앉아서 자수를 들어 몇 바늘땀을 뜬다. 바로 멈춘다.) 아냐! (자수를 내려놓고 복도로 나가서 부른다) 헬렌, 크리스마스트리를 가져와. (왼쪽 테이블로 가서 서랍을 연다. 다시 멈춘다.) 아냐, 그건 진짜 불가능해!

헬렌 (크리스마스트리를 들고) 어디에 둘까요, 사모님?

노라 저기, 가운데에.

헬렌 또 뭐 필요하신 것 있으세요?

노라 아니, 고마워. 이것만 있으면 돼.

(헬렌, 크리스마스트리를 두고 나간다.)

노라 (트리에 몰두한 채) 초는 여기에— 그리고 꽃은 이쪽에. 끔찍한 인간! 말, 말, 말일 뿐이야. 아무 의미 없어. 예쁘게 장식해야지. 난 당신을 위해서라면 뭐든지 해요, 토르발트. 당신을 위해 노래하고, 춤추고—

(헬메르 한쪽 팔에 서류다발을 끼고 복도 쪽에서 들어온다.)

노라 어머, 벌써 왔네요?

헬메르 응, 누가 왔었어요?

노라 여기요? 아뇨.

헬메르 이상하네, 방금 크로그스타트가 나가는 걸 봤거든요.

노라 그래요? 아, 맞아요. 크로그스타트 씨가 잠깐 오셨었어요.

헬메르 노라, 방금 그 사람이 당신한테 청탁을 하고 갔다고 당신 얼굴에 쓰여 있는데요.

노라 맞아요.

헬메르 당신 생각인 것처럼 말해 달라고 했고? 여기에 다녀갔다는 것도 말하지 말고. 그렇게 부탁했죠, 그렇죠?

노라 맞아요, 토르발트, 근데−

헬메르 노라, 노라, 그래서 그렇게 하려고 했어요? 저런 질 나쁜 인간하고 이야기하고 약속까지 하고? 나한테는 거짓말을 하고.

노라 거짓말이라뇨−?

헬메르 아무도 오지 않았다고 했잖아요? (손가락을 흔들며) 우리 귀여운 종달새 다시는 그래선 안 돼요. 종달새는 깨끗한 부리로 지저귀어야 해요. 음 이탈은 안 돼. (그녀의 허리에 팔을 감으며) 그래야만 하는 거예요, 안 그래요? 그럼, 물론이지. (그녀를 놓으며) 자 그럼, 그걸로 충분하고. (난로 옆에 앉으며) 아, 정말 아늑하고 편안하단 말이야. (서류를 뒤적인다.)

노라 (크리스마스트리를 장식하면서, 잠시 말이 없다가) 토르발트!

헬메르 응?

노라 난 내일 모레 스텐보르크 댁에서 열리는 가장파티가 정말 기대돼요.

헬메르 나도 이번엔 당신이 어떻게 날 놀라게 해줄지 정말 궁금해요.

노라 아, 정말 바보 같아.

헬메르 무슨 말이에요?

노라 적당한 것을 찾을 수가 없어요. 생각나는 건 다 우스꽝스럽고 별 의미 없는 것뿐이고요.

헬메르 우리 귀여운 노라가 그런 생각까지 한단 말이에요?

노라 (남편의 의자 뒤로 가서 팔을 의자 뒤에 걸치며) 많이 바빠요, 토르발트?

헬메르 응….

노라 무슨 서류에요?

헬메르 은행 관련서류.

노라 벌써요?

헬메르 선임 경영진에게서 직원인사와 사업운영에 필요한 구조조정에 대한 전권을 인계받았어요. 아무래도 크리스마스 주말에 해야 될 것 같아요. 새해가 되기 전에 모든 것을 준비해 놓고 싶거든.

노라 그래서 크로그스타트 씨가 그렇게 안쓰럽게-

헬메르 흠.

노라 (여전히 의자 등에 기대어 남편 목덜미를 천천히 쓰다듬으며) 당신이 그렇게 아주 바쁜 게 아니면 내가 엄청나게 큰 부탁을 하나 하려고 했죠.

헬메르 들어나 봅시다. 뭐죠?

노라 알죠, 당신처럼 훌륭한 감각을 가진 사람은 찾을 수가 없다는 걸- 난 이번 파티에서 엄청나게 예뻐 보이고 싶단 말에요. 토르발트, 당신이 내가 뭘 할지 그리고 뭘 입을지 결정해주면 안돼요?

헬메르 아, 우리 귀여운 고집쟁이를 구조해줄 사람이 필요한 건가?

노라 네, 토르발트, 난 당신이 도와주지 않으면 아무데도 갈 수가 없어요.

헬메르 알았어요- 내가 생각해볼게요. 찾을 수 있을 거예요.

노라 오, 고마워요. (다시 크리스마스트리로 간다. 잠시) 빨간 꽃 정말 예쁘지 않아요-? 그런데요, 크로그스타트 씨가 저지른 일이 정말 그렇게 나쁜 일이에요? 말 좀 해주세요.

헬메르 위조죄. 그게 무슨 뜻인지 알아요?

노라 꼭 필요해서 그렇게 한 게 아닐까요?

헬메르 그렇겠지 아니면 다른 사람들처럼 생각이 없거나. 나도 그렇게 인정 없이 한 번의 실수를 가지고 사람을 단정 짓고 비난하는 사람은 아니에요.

노라 그럼요, 물론이죠, 토르발트!

헬메르 솔직히 자백하고 죗값을 받고 실수를 만회한 사람들도 많아요.

노라 죗값이요?

헬메르 하지만 크로그스타트는 그렇게 하지 않았어요. 그 사람은 책임을 회피하려고 다른 사기를 쳤고 결국은 도덕적으로 타락한 인간이 된 거야.

노라 정말 그렇게 생각해요, 그게―?

헬메르 그런 죄를 저지른 사람이 얼마나 모든 일에 거짓말을 하고 사기를 쳐야 하는지, 가장 가깝고 사랑하는 사람들과도 항상 가면을 쓴 채로 지내야 하는지 생각해봐요. 심지어 아내와 아이들하고도요. 아이들을 생각하면 정말 최악이지.

노라 왜요?

헬메르 거짓으로 물든 가정은 오염될 수밖에 없으니까요. 아이들은 도덕적 타락이라는 세균으로 가득 찬 공기를 숨 쉴 때마다 들이 마시게 되는 거예요.

노라 (남편 뒤로 가까이 가며) 그게 정말 사실이에요?

헬메르 변호사 생활을 하면서 충분히 봐왔어요. 어릴 때 나쁜 길로 빠지는 사람들은 대부분 병적인 거짓말쟁이 엄마들이 키운 거라고.

노라 왜― 엄마만이죠?

헬메르 그건 물론 엄마의 영향이 주도적인 역할을 하기 때문이죠. 아버지의 역할도 있지만 말이야. 변호사들은 모두 알고 있는 사실이에요. 그런데 크로그스타트는 지난 몇 해 동안 아이들을 거짓과 위선으로 더럽히고 있단 말이에요. 그래서 내가 그 사람을 도덕적으로 타락했다고 하는 거예요. (노라에게 손을 뻗으며) 그러니 나의 귀여운 노라 그 사람을 위해서 애원하지 않겠다고 약속해요. 손을 올려요. 자, 자, 왜 그래요? 손. 그래요. 이제 합의 한 거예요. 그 사람이랑 함께 일하는 건 불가능해요. 아마 그 사람하고는 어떤 일도 못할 것 같아. 난 그런 사람 근처에 있으면 몸에서 거부반응이 일어나거든.

노라 (손을 빼고 크리스마스트리의 반대편으로 가며) 너무 덥네요! 난 해야 할 일이 아주 많아요.

헬메르 (일어서서 서류를 챙기며) 그래요, 나도 저녁식사 전에 이 서류들을 좀 더 읽어둬야겠어요. 당신 의상도 생각해 볼게요. 그리고 크리스마스트리에 걸어둘 반짝

거리는 봉투 안에 무언가도 고민을 해보지. (그녀의 머리 위에 손을 얹으며) 오, 귀여운 나의 작은 종달새. (자기 방으로 들어가서 문을 닫는다.)

노라 (잠시 후, 나지막이) 오, 정말! 그럴 리 없어. 그건 불가능해. 아니 불가능해야 해.

앤-마리 (왼쪽 문에서) 아이들이 엄마한테 들어오겠다고 조르는데요.

노라 안 돼, 안 돼. 나한테 보내지 마. 아이들이랑 함께 있어요, 앤-마리.

앤-마리 네 물론이죠, 사모님. (문을 닫는다)

노라 (공포심에 질려서) 아이들을 망친다고-! 우리 가족에 독을? (잠시, 머리를 꼿꼿이 새우며) 사실이 아냐. 절대. 절대 그럴 리 없어.

제2막

같은 방. 크리스마스트리가 피아노 옆 구석에 있다. 장식품은 없고 타고 남은 양초는 시들어 버린 가지 위에 녹아 있다. 노라의 외투가 소파 위에 놓여 있다. 노라, 혼자서 불안한 듯 방 안을 서성이고 있다. 소파로 가서 외투를 집어 든다.

노라	(외투를 다시 소파에 놓으며) 누가 오는데! (문으로 가서 귀를 기울이며) 아냐, 아무도 없어. 당연히 오늘은 아무도 안 오겠지. 크리스마스 아니 내일도 그렇고, 그래도 어쩌면－ (문을 열고 밖을 내다보며) 아니야, 우체통에 아무것도 없어. 텅텅 비었는데. (앞쪽으로 나오며) 말도 안 돼! 그렇게 심각한 문제를 일으키진 않을 거야. 그런 일 까지는 일어날 수 없어. 있을 수 없는 일이야. 아이들이 셋이나 있는데.
	(앤-마리 커다란 종이 상자를 가지고 왼쪽 방에서 나온다.)
앤-마리	의상들이 들어있는 상자를 겨우 찾았어요.
노라	수고했어. 탁자 위에 둬.
앤-마리	(지시대로 하며) 그런데 옷 상태가 엉망이에요.

노라　아, 전부 조각조각 찢어 버리고 싶어!

앤-마리　어머나, 바로 고칠 수 있어요. 잠시만 기다려주세요.

노라　그래, 린데 부인한테 가서 도와달라고 해야겠어.

앤-마리　또 외출하시게요? 이렇게 안 좋은 날씨에요? 감기에 걸리시면 어떡해요— 아프시면—

노라　오— 그보다 더 안 좋은 일이 생길 수도 있어. 애들은?

앤-마리　애들은 지금 크리스마스 선물 가지고 놀고 있어요. 그런데—

노라　날 찾아?

앤-마리　아시다시피 항상 엄마와 함께 하던 아이들이니까요.

노라　그래, 앤-마리, 지금은 전처럼 애들이랑 많은 시간을 보낼 수가 없어.

앤-마리　어린아이들은 빨리 적응을 하니까요.

노라　그래? 그럼 내가 영영 사라져 버리면 나를 금방 잊을까?

앤-마리　오, 어떻게— 영영이라뇨!

노라　앤-마리, 말해봐. 나 가끔씩 궁금했거든. 어떻게 자기 아이를 남에게 줄 수가 있을까?

앤-마리　저는, 아시다시피, 부인의 유모가 되기 위해 그럴 수밖에 없었잖아요.

노라　그래, 근데 어떻게 그렇게 할 수가 있었어?

앤-마리 좋은 일자리를 얻을 수 있는 대요? 가난하고 그런 일까지 저질러 버린 여자애에겐 좋은 조건이죠. 그 미꾸라지, 그 인간은 저를 위해서 해준 거라곤 하나도 없어요.

노라 그럼 딸은 앤-마리를 잊어버렸겠네?

앤-마리 오, 아뇨 잊지 않았어요. 세례 받을 때하고 결혼할 때는 편지도 했었어요.

노라 (팔로 앤-마리를 감싸 안으며) 우리 앤-마리, 어렸을 때 나한테는 정말 좋은 엄마였는데.

앤-마리 안타깝게도 엄마가 저밖에 없었죠.

노라 만약에 우리 아이들도 엄마가 없으면— 앤-마리— 바보 같은 소리 (상자를 열며) 아이들한테 가 봐. 난 지금— 내일은 내가 얼마나 예쁜지 보게 될 거야.

앤-마리 오, 우리 노라부인 같이 예쁜 여자는 파티에 없을 거예요. (왼쪽 방으로 들어간다.)

노라 (상자를 열기 시작한다. 곧 옆으로 내버리며) 내가 만약에 나가면! 아무도 오지 않으면! 내가 나가 있는 동안에 집에 아무 일도 없으면. 미친 생각이야— 아무도 안 와. 생각하지 말자. 머프의 털을 좀 빗어둬야겠어. 정말 예쁜 장갑이야. 예쁜 장갑이고말고. 됐어. 잊어버려. 하나, 둘, 셋, 넷, 다섯, 여섯… (탄식과 함께) 아, 저기 오네! (문 쪽으로 가려다가 결정할 수 없는 듯 멈춰서 있다. 린데 부인 복도에서 옷을 벗고 들어온다.)

노라 크리스틴! 밖에 사람이 더 있어요? 와줘서 정말 고마워요.

린데 나를 찾는다고 해서.

노라 지나던 길이었어요. 사실, 좀 도와줬으면 하는 일이 있어서요. 여기 좀 앉아요. 내일 밤 스텐보르크 씨 댁에서 가장파티가 열리거든요. 근데 토르발트는 내가 나폴리의 어부 소녀로 분장하고 카프리에서 배운 타란텔라를 추면 좋겠다는 거예요.

린데 그래, 네 성격에도 맞는 것 같은데.

노라 토르발트가 원해요― 이게 의상이에요. 토르발트가 맞춰준 건데 오래돼서 다 찢어졌어요. 어떻게 하면 좋을지―

린데 이거야 쉽게 고칠 수 있지. 여기저기 몇 군데 장식만 떨어졌는데 뭐. 바늘이랑 실은? 됐네. 이것만 있으면 돼.

노라 고마워요.

린데 (바느질을 하며) 그래서 내일은 이 드레스를 입는단 말이지? 노라, 나도 잠깐 들려서 멋지게 차려 입은 네 모습을 좀 보고 싶은걸. 근데 그전에, 어제 정말 즐거웠다고 인사하는 걸 깜박했네.

노라 (일어서서 방 안을 돌아다니며) 어제 저녁땐 예전처럼 그렇게 즐겁지 않았어요. 크리스틴이 좀 더 빨리 여기로 돌아와 주었더라면 좋았을걸. 토르발트는 정말 분위기를 편안하면서도 아주 즐겁게 만들 줄 아는 사람이거든요.

린데 내가 보기엔 노라도 마찬가지야. 괜히 아버님 딸이 아니라니까. 근데, 그 랑크 박사님 말이야. 항상 그렇게 우울하셔?

노라 아니, 어제는 좀 유별났어요. 아주 위험한 병에 걸려서 투병중이시거든요. 척추 결핵이요. 아버지께서 정말 형편없는 사람이었다나 봐요. 온갖 나쁜 짓은 다 했다고- 그래서 아들이 어릴 때부터 저렇게 아픈 거래. 무슨 말인지 알겠죠?

린데 (바느질을 떨어뜨리며) 노라, 어떻게 그런 걸 다 알고 있어?

노라 (돌아다니며) 하, 아이들을 셋 정도 키우다보면 집에 찾아오는 사람들이 종종 있어요- 결혼한 여자들이나 애들이 아프면 부르게 되는 사람들까지, 그럼 자연스럽게 여러 가지 이야기들을 듣게 되죠.

린데 (다시 바느질을 한다. 잠시) 랑크 박사님은 매일 오셔?

노라 매일 규칙적으로. 토르발트랑 아주 친하시거든요. 나도 그렇고. 가족 같은 분이에요.

린데 그런데, 박사님이 진중한 분이신 것 같아? 내 말은,

좀 가볍다는 생각은 안 드는지 말이야.

노라 전혀 그렇지 않아. 왜 그런 생각을 해요?

린데 어제 네가 박사님을 소개시켜 줬을 때 말이야, 여기서 내 이름을 많이 들었다고 그랬잖아. 그랬는데 너희 남편을 보니 내가 누구인지 전혀 모르는 것 같더라. 그런데, 박사님이 어떻게—

노라 크리스틴, 토르발트는 나를 정말 이상하리만큼 사랑해서 완전히 독점하고 싶어 하거든요. 심지어 내가 가족들 이야기만 해도 질투를 할 정도예요. 그래서 아주 자연스럽게 난 얘기하는 걸 포기했고 대신 랑크 박사님이랑 많은 얘길해요. 박사님은 내 얘기 듣는 걸 좋아 하시거든요.

린데 잘 들어봐 노라, 노라는 아직 어린애 같은 면이 있어. 난 노라보다 나이도 많고 사회 경험도 좀 있어서 하는 말인데. 랑크 박사님과의 관계는 정리하는 게 좋을 것 같아.

노라 뭘 정리해요?

린데 양 쪽 다. 어제 네가 어떤 돈 많은 남자가 금전적인 도움—

노라 하지만 그런 사람이 진짜 있는 건 아녜요. 그래서요—?

린데 박사님은 재산이 많지?

노라 그래요.

린데 돌봐야하는 가족도 없고?

노라 아무도 없어요, 그런데요?

린데 그리고 매일 매일 너희 집에 오시고?

노라 얘기했잖아요.

린데 그렇게 교양 있는 분께서 어쩜 이렇게까지 탐욕스러울까?

노라 무슨 말이에요?

린데 숨기려고 해도 소용없어, 노라. 내가 너에게 사천팔백 크로네를 빌려준 사람이 누군지 모를 거라고 생각해?

노라 제 정신이에요? 어떻게 그런 생각을 할 수가 있어요? 우리 집에 매일 오는 가족 같은 사람이야. 정말 상상할 수도 없는 견딜 수 없이 불편한 상황이 됐을 거라고요.

린데 그럼 정말 그 분은 아니구나.

노라 아니야, 절대 아냐. 한 번도 그런 생각해본 적 없어요. 게다가 그 땐 박사님도 돈을 빌려줄 상황이 아니었고. 상속은 그 후에 받았거든요.

린데 그랬다면 그건 정말 너에겐 잘된 일이야, 노라.

노라 정말 랑크 박사님한테 부탁할 생각은 해본 적도 없어요. 부탁했다면 아마 틀림없이-

린데 물론 부탁하지 않았겠지만.

노라 물론이죠. 이젠 그럴 필요도 없고요. 그래도 아마 내가 랑크 박사님한테 부탁하면 반드시 들어주실 걸요.

린데 남편 몰래?

노라 그것 말고 다른 일을 좀 마무리해야 해요— 남편 몰래 깔끔하게 정리해야 되겠어요.

린데 그래 맞아, 어제 그 얘길 했었지. 그런데—

노라 (서성거리며) 남자들이 여자들보다 이런 일은 잘 처리하던데—

린데 누군가의 남편이 나서면, 그렇지.

노라 말도 안 돼! (멈춰 선다.) 돈을 다 갚고 나면 차용증서는 다시 돌려받는 거죠, 그렇죠?

린데 당연하지.

노라 그럼 조각조각 찢어서 불에 태워 버려도 되고— 끔찍하게 지겨운 종잇조각!

린데 (그녀를 응시한다. 바느질을 내려놓고 천천히 일어서며) 노라, 나한테 뭔가 숨기고 있구나.

노라 티가 나요?

린데 어제 아침 이후로 뭔가 일이 있었던 것 같은데, 무슨 일이야, 노라?

노라 (그녀를 향해 급하게) 크리스틴! (밖에 귀를 기울이며) 쉿! 토르발트가 왔어요. 잠깐 아이들하고 함께 있어요. 토르발트는 이렇게 너저분한 걸 싫어하거든요. 앤-마리한테 도와달라고 하세요.

린데 (일감을 주워 모으며) 알았어, 그렇지만 네 문제에 대해서 솔직하게 얘기하기 전까지 난 아무 데도 안 가. (왼쪽으로 퇴장. 헬메르, 복도 쪽에서 들어온다.)

노라 당신을 얼마나 기다렸는지 몰라요, 토르발트!

헬메르 재봉사에요?

노라 아니에요. 크리스틴이에요. 의상을 좀 손봐주는 중이었어요. 수선이 아주 훌륭하게 될 것 같아요.

헬메르 정말 좋은 아이디어 아니었어요?

노라 천재적이에요! 당신 말을 잘 들은 저도 잘했죠?

헬메르 (그녀의 턱을 잡으며) 잘했다고— 남편의 말을 잘 듣는 것이? 그렇지, 귀염둥이, 그런 뜻으로 한 말은 아니겠지? 더 이상 방해하지 않을게요. 아마 고치면서 의상을 입어봐야 하겠지요?

노라 일 하시게요?

헬메르 네(서류 꾸러미를 가리키며) 은행에 다녀왔어요. (서재로 향한다.)

노라 토르발트!

헬메르 (멈춘다.) 네?

노라 만일 당신의 작은 다람쥐가 진정으로 영혼을 다 해 당신에게 부탁할 일이 있으면요—?

헬메르 그게 뭐죠?

노라 그렇담, 들어주시겠어요?

헬메르 당연하지만, 먼저 뭔지를 알아야겠지요.

노라 당신이 친절하게 내 얘길 듣고 소원을 들어주면, 당신의 귀여운 다람쥐는 기뻐서 재주를 넘고 뛰어다니면서 재롱을 떨 거예요.

헬메르 말해 봐요.

노라 당신의 종달새는 이 방 저 방을 다니며 아름다운 목소리로 노래를 부를 텐데—

헬메르 그런 건 이미 하고 있잖아요.

노라 나무의 요정이 되어서 달빛 아래서 당신만을 위해 춤을 출게요, 토르발트.

헬메르 노라, 아침에 하던 얘길 또 시작하려는 건 아니겠지?

노라 (가까이 오며) 맞아요, 토르발트, 이렇게 부탁할게요. 제발요!

헬메르 정말 당신 어떻게 그 얘길 다시 꺼낼 생각을 할 수가 있지?

노라 그래요, 그래요. 당신 꼭 내 말을 들어야 해요. 크로그스타트가 계속 은행에서 일할 수 있도록 해주세요.

헬메르 여보 우리 노라, 그 사람 업무는 이미 린데 부인이 하기로 계획되어 있어요.

노라 정말 잘 됐어요. 그럼 크로그스타트 대신에 다른 사람을 해고해주세요.

헬메르　이건 정말 말도 안 되는 고집이야. 그저 당신이 순간적인 충동에 의해서 잘 이야기해 주겠다고 약속했기 때문에 내가—

노라　그런 게 아니에요, 토르발트. 당신을 위해서예요. 그 사람은 최악의 언론사들과 연루가 되어 있다고요. 당신이 그렇게 말했잖아요. 당신을 헤칠 수도 있는 사람이라고요. 난 그 사람이 너무 무서워요—

헬메르　아, 알겠어요. 지난 기억 때문에 그러는군.

노라　그게 무슨 뜻이에요?

헬메르　아버님 생각을 하고 있는 거 아니에요?

노라　맞아요, 그래요. 언론에서 얼마나 아버지를 모함하고 더러운 소문들을 만들어서 잔인하게 아버지의 명예를 훼손했는지 생각해 보세요. 그 때 만약에 부서에서 당신을 사건 조사담당으로 파견하지 않았더라면— 그리고 당신이 그렇게 친절하게 아버지를 돕지 않았더라면— 아버지는 파면 당하셨을 거예요.

헬메르　나의 귀여운 노라, 하지만 당신 아버님과 나는 전혀 다르단 말이에요. 아버님은 관리로써 비난을 피하기가 어려운 부분이 있었지만 난 전혀 그렇지 않아. 그리고 내가 책임자로 있는 한 어떠한 결점도 발견되지 않을 거예요.

노라　그 악랄한 사람들이 무슨 일을 만들어낼지 모르는 거예요. 우린 걱정거리 없는 집에서 아늑하고 행복하게 살 수 있어요― 당신과 나 그리고 우리 아이들이요, 토르발트. 그래서 내가 이렇게 간곡하게 부탁하는 거예요.

헬메르 당신이 이렇게 부탁을 하면 할수록 난 그 사람을 그냥 두기가 더 어려워요. 은행에서는 이미 내가 크로그스타트를 해임시키려 한다는 것을 알고 있어요. 그런데 은행에 소문이라도 나면 어떻게 하지? 새로 온 지점장은 부인의 반대 때문에―

노라 네, 그럼 어때요?

헬메르 아, 그래― 당신은 당신 고집대로만 된다면 상관이 없겠지―! 난 직원들 모두가 보는 앞에서 바보 꼴이 되고― 사람들은 외부에서 조금만 압력이 들어오면 언제든 내 마음이 바뀔 수 있다고 생각하겠지. 그건 내 일에 바로 영향을 끼치게 될 거예요. 그리고 그게 아니라고 하더라도, 크로그스타트를 은행에 둘 수 없는 이유가 있어요.

노라 무슨 이유인데요?

헬메르 그 사람의 비도덕적 성향은 필요하다면 나도 눈 감을 수 있지 그런데―

노라 그래요, 토르발트, 그렇게 해요!

헬메르 듣기로는 꽤 효율적으로 일처리를 한다고 하더라고.

그런데 내가 어릴 때 그 사람이랑 좀 친하게 지낸 적이 있었어— 철없던 시절의 일들이 문득문득 떠올라서 날 부끄럽게 하는 그런 거 말이에요. 말 나온 김에 그냥 편하게 이야기합시다. 당연히 말을 트고 지내는 사이였는데. 이 눈치도 없는 바보 같은 인간이 사람들 앞에서 숨기려고 노력도 안한단 말이야. 숨기기는 커녕 마구 티를 낸단 말이야. 걸핏하면 반말로 "그래, 토르발트!" "물론이지, 토르발트!" 하고 말이야. 난 이런 걸 견딜 수가 없어요. 고통스럽기까지 하단 말이에요.

노라 토르발트, 설마 지금 진심으로 이런 얘길 하는 건 아니겠죠.

헬메르 아니? 왜요?

노라 왜냐면, 정말 너무 별 것 아닌 걸로 걱정을 하고 있으니까요.

헬메르 무슨 말이에요? 별 것 아니라고? 당신 지금 나에게 치사하다고 하는 거예요?

노라 아니오, 정반대에요, 토르발트! 그렇기 때문에—

헬메르 상관없어요. 얼마든지 치사하다고 해요. 그럼, 진짜로 치사하게 굴면 되겠군. 치사하게! 좋아! 더 이상 이 얘기가 나오지 않도록 하지. (복도로 향하는 문으로 가서 부르며) 헬렌!

노라	왜 그래요?
헬메르	(서류를 뒤지며) 끝을 내자고. (헬렌, 들어온다.) 자, 곧 장 이 편지를 가지고 나가서 배달원에게 전달하도록 해. 주소는 적혀 있어. 잠깐, 여기 돈.
헬렌	네. (편지를 들고 퇴장)
헬메르	(서류를 다시 정리하며) 자, 이제 어때, 고집쟁이 아가씨.
노라	(숨을 죽이고) 토르발트, 그게 무슨 편지예요?
헬메르	크로그스타트의 해임 통지서야.
노라	다시 불러요, 토르발트! 아직 늦지 않았어요. 오, 토르발트, 다시 불러요! 저를 위해서- 당신을 위해서, 우리 아이들을 위해서! 들려요, 토르발트? 이 일이 우리들에게 어떤 엄청난 결과를 가져올지 당신은 몰라요.
헬메르	이미 늦었어.
노라	그래요. 이미 늦었어요.
헬메르	노라, 난 당신을 용서하겠어요. 당신이 이렇게 두려움에 떤 다는 것은 나로썬 좀 자존심이 상하는 일이긴 하지만. 당신은 나에게 모욕감을 주고 있단 말이에요. 내가 법정 서기 따위의 복수를 두려워해야 한다고 생각하니 말이야. 하지만 이것도 당신이 나를 얼마나 사랑하는지를 보여주는 것이라고 생각하고 당신을 용서하죠. (그녀를 안으며) 그래, 그래야지, 나의 착한

노라. 무슨 문제가 생기는지 봅시다. 필요할 땐 내가 남자로써 모든 것을 감당할 힘과 용기가 있다는 걸 잊지 말고.

노라 (겁에 질려) 무슨 말이에요?

헬메르 모든 것을 감당하겠다고.

노라 (단호하게) 아뇨, 절대로 안돼요.

헬메르 좋아요, 그렇다면 함께 나눕시다, 노라. 남편과 아내로써 말이야. 그래야지. (그녀를 어루만지며) 이제 됐죠? 이런, 이런, 이런, 겁에 질린 비둘기 같은 눈은 안 되지. 그저 당신의 망상일 뿐이에요. 자, 이제 당신은 타란텔라와 탬버린 연습을 해야지. 난 아무것도 들리지 않게 서재로 가서 문을 꼭 닫고 있을게요. 맘껏 시끄럽게 해도 되요. (문 쪽으로 향하며) 랑크 박사가 오거든 내가 어디 있는지 가르쳐줘요. (그녀를 향해 고개를 끄덕인 후 서류를 들고 서재로 들어가서 문을 닫는다.)

노라 (불안과 당혹감에 싸여 자리에 선 채 혼잣말을 한다.) 그렇게 할 수 있는 사람이야. 그렇게 할 거야. 무슨 일이 있어도 할 거야— 안 돼, 안 돼! 절대, 절대! 무슨 일이 있어도 그것만은 안 돼. 도움이 필요해. 어떻게든 빠져 나가야 해! (현관에서 초인종 소리가 난다.) 랑크 박사님이야! 무슨 일이 있어도 그 일만은 안 돼. 무슨 일이 있어도! (얼굴을 만지고 몸을 단정히 하고는 문으로 가서 문을 연다. 랑크, 코트를 입은 채로 서있다. 이어지는 대화 중 점차 날이 어두워진다.) 안녕하세요, 랑크 박사님. 지금은 토르발트를 보시기 힘들 것 같아요. 일 때문에 바쁜 것 같아요.

랑크 그럼, 부인은?

노라 (랑크를 거실로 이끌고 문을 닫으며) 오, 잘 아시면서 그러세요. 박사님을 위해서라면 저는 늘 시간이 있죠.

랑크 고마워요. 그럼, 그 시간을 최대한 활용해보도록 하겠습니다.

노라 그게 무슨 말씀이지요? 최대한이라니요?

랑크 그래요, 그 표현이 이상한가요?

노라 평소에 박사님 같지 않아서요. 무슨 일이 있었어요?

랑크 오래전부터 마음의 준비를 하고 있었던 일이기는 하지요. 이렇게 빨리 올 줄은 몰랐지만요.

노라 (그의 팔을 잡으며) 무슨 일인데요? 랑크 박사님, 저한테 말씀해 주세요.

랑크 (난로 곁에 가서 앉으며) 저는 끝났어요. 방법이 없습니다.

노라 (마음이 놓인 듯이 한숨을 쉬며) 박사님과 관련된 이야기군요?

랑크 그럼 누구 얘기겠어요? 자기 자신에게 거짓말을 할 수는 없지요. 나는 모든 환자들 가운데서도 가장 불쌍한 환자예요, 헬메르 부인. 요 며칠 자가 건강진단을 좀 진행해 봤거든요. 망했어요! 아마 한 달 안에 교회 앞마당에 누워서 썩어가고 있을 겁니다.

노라 아, 왜 그렇게 끔찍한 얘길 하세요!

랑크 저주받은 것처럼 끔찍하죠. 그런데 더 끔찍한 건 아직도 내가 거쳐야 하는 끔찍한 일들이 많이 남아 있다는 거예요. 이제 한 가지 검사만 더 해보면 구체적으로 언제쯤 제 소멸이 시작될지 알게 될 겁니다. 부인께는 말씀 드리고 싶은 것이 있는데요. 헬메르의 고상한 인품에는 받아들이기 힘들 정도로 혐오스럽고 구역질나는 일일 테니 그 친구를 연루시키고 싶진 않아요.

노라 그렇지만 박사님—

랑크 안됩니다. 어떤 일이 있어도요. 이 문제에 있어서는 문을 꼭꼭 잠그겠습니다. 제가 확신을 갖게 되면 바로 검정 십자가가 그려진 명함을 보내드리겠습니다. 그러면, 부인께서도 그 끔직한 결말이 오고야 말았다고 생각해 주시면 됩니다.

노라 박사님, 오늘 정말 이상하세요. 전 박사님이 오늘 만큼은 정말 좋은 기분이시길 바랐는데 말이에요.

랑크 죽음이 귀에서 속삭이고 있는데도 말입니까? 다른 사람의 죗값을 대신 치르는 데도요? 어느 집안에나 어떤 형식으로든 거부할 수 없는 저주와 같은 일들이 벌어진다고—

노라 (자기 귀를 막으며) 말도 안 돼요! 우리 즐거운 얘기해요!

랑크 오, 사실 우스운 이야기에요. 전부요. 죄 없는 내 척추는 아버지의 젊은 날 한때, 그 즐거움 때문에 고통받고 있으니까요.

노라 (왼쪽 탁자 옆에 앉아서) 아버님께서 푸아그라 파테와 아스파라거스를 너무 즐겨 드셨다는 말씀이시죠, 그렇지 않아요?

랑크 네, 송로버섯하고요.

노라 아, 송로버섯이요. 그럼 굴 요리도 좋아하셨겠네요, 그렇죠?

랑크 당연하죠. 굴은 말할 필요도 없죠.

노라 엄청난 양의 포도주와 샴페인도 빠질 순 없고요. 그런데 이렇게 맛있는 것들이 우리 뼈에 복수를 한다니 슬픈 일이에요.

랑크 특히나, 그런 맛있는 음식을 즐겨보지도 못한 이 불쌍한 척추에 복수를 하고 있다는 겁니다.

노라 그래요. 그게 가장 슬픈 일이네요.

랑크 (무언가를 찾으려는 듯 응시하며) 흠!—

노라 (잠시 후에) 왜 웃으세요?

랑크 아니요, 웃은 건 부인이었지요.

노라 아니요, 박사님이 웃으셨어요!

랑크 (일어서며) 부인은 제가 생각했던 것보다 더 장난이 심하시군요.

노라 오늘은 그냥 유치하게 장난도 하고 싶고 그런 날이에요.

랑크 그러신 것 같아요.

노라 (두 팔을 그의 어깨에 얹으며) 박사님, 우리 박사님, 죽음이 토르발트와 저한테서 박사님을 빼앗아 가서는 절대 안 돼요.

랑크 곧 잊게 될 겁니다. 죽은 사람은 금방 잊히게 되어 있어요.

노라 (그를 걱정스럽게 바라보며) 그걸 믿으세요?

랑크 새로운 친구를 사귀게 되고, 그러면-

노라 누가 새로운 친구를 사귀어요?

랑크 두 사람 다 그렇겠죠. 제가 사라지고 나면요. 부인은 이미 시작하신 것 같고요. 그 린데 부인은 어젯밤에 부인께 뭘 원하던가요?

노라 오호!- 박사님 지금 크리스틴을 질투하시는 거예요?

랑크 네, 맞아요. 그 부인께서 제 뒤를 잇겠죠. 제가 죽어서 없어지고 나면-

노라 쉿, 너무 크게 말하지 마세요. 지금 저 방에 있어요.

랑크　오늘도 또 왔군요. 그것 보세요.

노라　제 드레스를 고쳐 주려고 온 거예요. 저런, 저런, 정말 제 정신이 아니시네요. (소파에 앉으며) 진정하세요, 랑크 박사님, 내일이면 제가 얼마나 아름다운 모습으로 춤을 추는지 보시게 될 거예요. 그리고 그 모든 게 박사님을 위한 것이라고 생각하세요— 물론 토르발트를 위해서 하는 것이기도 하지만요. (이것저것 상자 속에서 꺼내며) 랑크 박사님, 이쪽으로 와서 앉으세요. 보여드릴 게 있어요.

랑크　(앉으며) 뭔데요?

노라　이것 보세요.

랑크　실크 스타킹이군요.

노라　살색이에요. 예쁘지 않아요? 지금은 좀 어둡지만 내일은— 안 돼, 안 돼요, 안 돼! 발만 보셔야 해요. 오, 뭐, 그래요. 다리까지 한번 보세요.

랑크　흠!—

노라　왜 그렇게 난해한 표정을 하고 계세요? 저한테 안 어울릴 것 같아요?

랑크　지금 보는 것만으로는 자료가 부족해서 의견을 드릴 수가 없습니다.

노라　(그를 잠깐 바라본다.) 창피하게 무슨 말씀이세요! (양말로 가볍게 그의 귀를 친다.) 이건 벌이에요. (양말을 다시

접는다.)

랑크 뭐 또 제가 봐도 괜찮은 다른 것들이 있을까요?

노라 그렇게 엉큼한 사람한테는 더 이상 보여줄 게 없어요. (콧노래를 부르며 물건들을 뒤적인다.)

랑크 (잠시 침묵한 후에) 이렇게 앉아서 부인과 허물없이 대화를 하다보면 만약에, 제가 여기에 이렇게 오지 않았으면 어떻게 되었을까 생각을 하게 됩니다. 상상도 못하겠지만요.

노라 (웃으며) 박사님은 정말 가족 같은 분이세요.

랑크 (목소리를 낮추고, 앞을 바라보며) 그런데 이제 모든 것을 뒤로하고 떠나야 한다는 게—

노라 말도 안 돼요! 박사님은 아무데도 안 가실 거예요.

랑크 (낮은 목소리로) 작은 감사의 표시나 스쳐가는 후회의 감정 같은 그런 흔적도 없이, 이곳에 들어서는 바로 다음 사람으로 대체될 수 있는 그런 존재이니 말입니다.

노라 제가 만약에 부탁을 하나—? 아니에요!

랑크 뭐죠?

노라 우리의 우정에 대한 증거를—

랑크 그래요, 그래.

노라 아주 큰 도움이—

랑크 그렇게라도 저에게 행복을 한번 느낄 수 있게 해주겠어요?

노라 아직 그게 뭔지도 모르시잖아요.

랑크 모르죠. 그러니 말을 해보세요.

노라 정말 못해요, 랑크 박사님. 상식을 벗어난 일이에요. 박사님의 충고와 도움 그리고 지지가 모두 필요한 거예요.

랑크 크면 클수록 더 좋습니다. 무슨 일인지 도무지 추측할 수가 없으니 말을 해주세요. 저를 믿지 못하는 건가요?

노라 누구보다도 믿어요. 박사님은 저의 진정한 친구이신걸요. 그래요, 말씀드릴게요. 음, 랑크 박사님, 박사님께서 막아 주셔야 할 일이 있어요. 토르발트가 얼마나 헌신적이고 말로 표현할 수 없을 정도로 깊이 저를 사랑하는지 아실 거예요. 저를 위해서라면 잠시도 망설이지 않고 생명까지도 바칠 사람이죠.

랑크 (노라에게 다가가며) 노라— 그런 사람이 그 친구 하나뿐이라고 생각하십니까—?

노라 (흠칫 놀라며) 누구요?

랑크 부인을 위해서 기꺼이 목숨을 바칠 수 있는 사람이요.

노라 (슬프게) 알겠어요.

랑크 제가 떠나기 전에 부인께 이 사실을 꼭 알려야겠다고 생각하고 있었습니다. 지금보다 좋은 기회는 없을 것 같군요. 이제 알겠죠, 노라. 이제 다른 누구보다도 날 믿을 수 있다는 것을 아시겠죠.

노라 (신중하면서 조용하게 일어서며) 잠시만요.

랑크 (자리에 그대로 앉아 그녀가 지나갈 수 있도록 피해주며) 노라!

노라 (현관 문 쪽으로) 헬렌, 램프를 가져와요. (난로 쪽으로 간다.) 랑크 박사님, 정말 짓궂으시네요.

랑크 그 누구보다도 당신을 사랑해온 것이요? 그게 짓궂다는 말인가요?

노라 아뇨, 그걸 제게 말씀하시는 것이요. 그건 정말 불필요한 일이-

랑크 무슨 뜻이죠? 알고 있었다는 건가요? (램프를 들고 와서 테이블 위에 놓고 나간다.)

랑크 노라- 헬메르 부인- 말해주세요. 눈치를 채고 있었던 겁니까?

노라 오, 제가 이미 눈치를 채고 있었는지 아니었는지 어떻게 알 수 있겠어요. 박사님께서 이렇게 섣부르게 행동하실 줄은! 정말 잘 지내고 있었는데.

랑크 자, 일이야 어찌 되었든, 이제 부인은 제 몸과 마음을 모두 가진 사람이라는 걸 아셨습니다. 그러니 이제 말을 해보세요.

노라 (그를 바라보며) 방금 전 일은요?

랑크 부탁입니다. 얘기해 보세요.

노라 이제 박사님껜 아무 말씀도 드릴 수가 없어요.

랑크 알아야만 합니다. 이런 식으로 나에게 벌을 주지마세요. 인간의 능력치 안에서 할 수 있는 일이라면 어떤 일이던지 하겠습니다. 당신을 위해서 뭔가를 할 수 있는 기회를 주세요.

노라 박사님은 이제 저를 위해서 할 수 있는 일이 없어요. 게다가 전 남의 도움도 필요 없고요. 이 모든 게 전부 제 망상일 뿐인걸요. 정말이에요— 당연하죠! (흔들의자에 앉아 그를 웃으며 그를 바라본다.) 박사님은 정말 좋은 분이세요. 램프불이 비춘다고 너무 부끄럽게 생각하지 마세요.

랑크 조금도 그렇지 않습니다. 그럼 아마도 저는 이제 가는 것이 좋겠지요— 영원히?

노라 아니요, 정말이에요, 안 그러셔도 돼요. 당연히 전과 변함없이 저희 집에 오셔야 해요. 아시다시피 토르발트는 박사님이 없이는 아무것도 할 수 없는 사람이잖아요.

랑크 그렇죠, 하지만 부인은?

노라 오, 저는 항상 박사님을 뵙는 게 엄청나게 즐거운 걸요.

랑크 바로 그겁니다. 그것이 절 헷갈리게 한 거예요. 부인은 정말 수수께끼 같아요. 부인은 헬메르와 있는 것보다 저와 있는 것을 더 즐거워하는 것 같을 때가 많았거든요.

노라 네— 그래요. 사람들은 누구나 가장 사랑하는 사람이 있고 또 그런가 하면 함께 하는 친구로서 충분한 사람이 있거든요.

랑크 네, 그것도 사실이죠.

노라 제가 어렸을 땐 당연히 아버지를 가장 사랑했어요. 하지만 전 늘 하녀들 방에 몰래 내려가서 놀곤 했죠. 하녀들은 저를 가르치려 하지 않았거든요. 서로 재밌는 애기를 하면서 즐거운 시간을 보냈어요.

랑크 그렇군요— 제가 하녀들의 역할을 하고 있었군요.

노라 (벌떡 일어서서 그에게로 가며) 오, 우리 박사님, 그런 뜻은 아니었어요. 토르발트랑 있는 게 아버지랑 있는 것과 비슷하다는 건 이해하시죠? (헬렌, 현관 복도에서 나타난다.)

헬렌 사모님. (속삭이며 명함 한 장 건넨다.)

노라 (명함을 흘낏 본다) 오! (명함을 주머니에 넣는다.)

랑크 뭐가 잘못됐나요?

노라 아니오, 아녜요, 아무것도 아니에요. 그냥— 새 드레스—

랑크 네? 드레스는 저기 있는데요.

노라 아, 네, 저거요. 이건 다른 거예요. 주문을 했거든요. 토르발트는 알아서는 안 돼요.

랑크 아하, 그 비밀이라는 것이 이거였군요.

노라 맞아요. 그이에게 가보세요. 서재에 있어요. 잠시만 나오지 못하도록–

랑크 걱정 마세요. 꼭 붙들고 있겠습니다.

(헬메르 방으로 퇴장)

노라 (헬렌에게) 그럼 부엌에서 기다리고 있는 거야?

헬렌 네, 뒤쪽 계단으로 오셨어요.

노라 손님이 계시다고 말하지 않았어?

헬렌 그렇게 말했지만 소용이 없었어요.

노라 돌아가지 않는단 말이지?

헬렌 네, 사모님을 뵙고 얘기하기 전에는요.

노라 들어오라고 해줘– 조용히. 헬렌, 아무한테도 말해선 안 돼. 토르발트 씨를 위한 깜짝 이벤트거든.

헬렌 네, 네. 알겠습니다. (퇴장)

노라 무서운 일이 벌어질 거야. 안 돼, 아냐, 안 돼, 그렇게 되면 안 돼.

(헬메르 방문에 빗장을 건다. 헬렌, 현관 복도로 통하는 문을 열고 크로그스타트를 들여보낸 후 문을 닫는다. 그는 여행용 털 코트와 부츠를 신고 털모자를 쓰고 있다.)

노라 (그에게 공격적으로 다가가며) 조용히 얘기하세요. 남편이 집에 있어요.

크로그스타트 상관없습니다.

노라 원하는 게 뭐죠?

크로그스타트 설명을 좀 듣고 싶어서요.

노라 그럼 서두르세요. 뭐죠?

크로그스타트 당연히 아시겠지만, 제가 해고통지를 받았습니다.

노라 막을 수가 없었어요, 크로그스타트 씨. 끝까지 당신을 변호하고 당신 편에서 설명했지만 아무 소용없었어요.

크로그스타트 남편께서 부인을 사랑하는 마음이 그 정도밖에 안 되는군요. 제가 부인께 어떤 짓을 할 수 있는지 알면서도 그렇게 하신다면—

노라 어떻게 그이가 이 일에 대해 알고 있을 거라고 생각할 수가 있죠?

크로그스타트 그렇게 생각하지 않았습니다. 토르발트 헬메르가 그런 용기를 낸다는 것은 전혀 그 친구답지 않은—

노라 크로그스타트 씨, 제 남편에 대한 예의를 지켜주세요.

크로그스타트 물론이죠— 예의를 지켜야지요. 하지만 부인께서 그렇게 조심스럽게 이 일을 숨기려고 하시는 걸 보니 아마 어제보다는 부인께서 저지른 일의 심각성을 좀 더 잘 알고계신다고 생각해도 될까요?

노라 당신이 알려줄 수 있는 것보다 더 잘 알고 있어요.

크로그스타트 그럼요, 저는 엉터리 변호사니까요.

노라 제게 원하는 게 뭐죠?

크로그스타트 부인께서 어떻게 지내시는지 보러 왔습니다. 하루 종일 부인 생각을 하고 있었거든요. 수금원이나 서기 따위 밖에 안 되는— 저같이 미천한 사람도 감정이란 것은 있으니까요.

노라 그럼 보여주세요. 아이들을 한번 생각해보세요.

크로그스타트 남편께서는 제 아이들 생각을 해주셨던가요? 뭐 신경 쓰지 마십시오. 이 일에 대해서 너무 심각하게 고민하지 마시라고 얘기하려고 했습니다. 지금 말하고 싶은 것은, 부인은 이 일을 그렇게 심각하게 생각하실 필요 없다는 것입니다. 제가 먼저 소송을 제기하는 일은 없을 테니까요.

노라 오, 정말이요! 그럴 줄 알았어요.

크로그스타트 일이 원만하게 해결될 수도 있다는 겁니다. 사람들이 이 일에 대해서 알아야 할 이유도 없지요. 우리 세 사람 사이의 비밀이 될 수도 있습니다.

노라 남편에게는 알릴 수 없어요.

크로그스타트 어떻게 막으실 거죠? 잔금을 모두 처리해주실 거라고 이해해도 되겠습니까?

노라 아뇨, 당장은 할 수 없어요.

크로그스타트 아니면 곧 돈을 마련할 수 있는 무슨 계획이라도 있으신가요?

노라 쓸 만한 계획은 없어요.

크로그스타트 계획이 있다고 해도 소용없을 겁니다. 부인이 지금 현금을 가지고 계신다고 해도 차용 증서에 있는 부인의 서명을 바꿀 수는 없으니까요.

노라 그럼, 대체 어떻게 할 생각인거죠?

크로그스타트 잘 보관하고 있어야죠— 제 수중에. 이 일과 관련 없는 사람은 절대로 눈치 채지 못할 겁니다. 그래서 만약에 이 일이 부인을 극단적인 생각으로—

노라 그랬어요.

크로그스타트 집을 떠나신다는 생각을 했다던가—

노라 생각해 봤어요.

크로그스타트 그보다 더 안 좋은 생각을—

노라 어떻게 알았죠?

크로그스타트 그런 생각은 버리세요.

노라 제가 그런 생각을 했는지 어떻게 알았죠?

크로그스타트 누구나 처음에는 그런 생각을 하죠. 저도 그랬습니다.

하지만 용기가 없었죠.

노라 (힘없이) 저도 그래요.

크로그스타트 (안심하며) 그렇죠, 그렇고말고요. 부인께서도 용기가 나지 않았죠?

노라 저는 그런 용기가 없어요.

크로그스타트 한차례 폭풍이 지나가고 나서 보면 어리석은 짓이라는 걸 알게 되죠. 남편께 드릴 편지가 지금 제 주머니 속에 있습니다.

노라 모든 얘기가 담겨있나요?

크로그스타트 될 수 있는 한 객관적 사실만을 적었습니다.

노라 (빨리) 그이한테 그 편지가 가서는 안 돼요! 찢어 버리세요! 돈을 마련할 방법을 찾을게요.

크로그스타트 죄송합니다만 헬메르 부인. 제가 방금 말씀드렸다고 생각하는데요 –

노라 제가 빚진 돈 얘길 하는 게 아니에요. 당신이 남편한테 원하는 금액을 말해 보세요. 내가 마련할게요.

크로그스타트 저는 남편께 돈을 바라는 게 아닙니다.

노라 그럼 뭘 원하죠?

크로그스타트 말씀드리죠. 저는 제 명예를 회복시키고 싶습니다, 헬메르 부인. 저는 성공하고 싶어요. 그러려면 남편 분의 협조가 필요합니다. 저는 지난 일 년 반 동안 불미스러운 일에는 손도 대지 않았습니다. 상황이 아주 안 좋아졌을 때도 말이에요. 한 발, 한 발 성장해가면서 만족감도 느꼈고요. 그런데 이번에 이렇게 쫓겨나버렸죠. 이제 그저 다시 받아준다고 해서 만족스러울 것 같지 않습니다. 발전해야죠. 승진을 조건으로 은행에 다시 돌아가고 싶습니다. 남편께서 제 자리를 마련해 주셔야하겠죠.

노라 그이는 절대 안 할 거예요.

크로그스타트 할 겁니다. 전 그 친구를 알아요. 감히 반대하지 못할 겁니다. 일단 다시 은행으로 돌아가기만 하면, 보세요! 일 년 안에 헬메르의 오른팔이 되어 있을 겁니다. 그리고 토르발트 헬메르가 아닌 닐스 크로그스타트가 은행을 운영하게 될 겁니다.

노라 그런 날은 절대 오지 않을 거예요!

크로그스타트 그 말씀은 부인께서-?

노라 네, 이제 용기가 생겼어요.

크로그스타트 부인은 저를 협박할 수가 없습니다. 부인같이 순진하고 세상물정 모르는-

노라 두고 보세요. 두고 보시라고요.

크로그스타트 아마도 얼음 밑이 되겠죠? 차갑고 어두운 물 속? 아마도 봄이 되면 수면 위로 떠오르겠죠. 알아볼 수도 없는 끔찍한 형태로 머리카락은 다 빠지고-

노라 하나도 두렵지 않아요.

크로그스타트 저도 마찬가지입니다. 인간은 그렇게 어리석진 않으니까요, 헬메르 부인. 게다가 그게 무슨 소용이 있겠습니까? 남편은 똑같이 아주 완벽하게 제 손아귀에 있을 텐데요.

노라 그렇게 해도요? 제가 더 이상—

크로그스타트 부인의 명예는 제 손에 달려 있다는 것을 잊으셨습니까? (말없이 서서 그를 바라본다.) 자, 저는 부인께 경고했습니다. 바보 같은 짓은 하지 마십시오. 헬메르 씨가 제 편지를 보고나면 무슨 연락이 있겠지요. 기다리고 있겠습니다. 잊지 마세요. 저를 이렇게까지 만든 건 남편 이라는 사실을. 저는 남편을 절대 용서할 수 없습니다. 안녕히 계십시오, 헬메르 부인. (복도를 통해 퇴장)

노라 (문 쪽으로 가서 문을 살짝 열고 귀를 기울이며) 가네. 편지는 우편함에 넣지 않은 것 같아. 오, 아니, 안 돼! 그렇게 할 수 없을 거야! (문을 조금씩 더 연다) 뭐지? 밖에 서있는데. 계단을 안 내려가는데. 망설이는 걸까? 설마—? (편지 한 통이 우편함에 떨어진다. 잠시 후 크로그스타트의 발소리가 들린다, 계단을 내려가면서 소리가 점점 희미해진다. 노라, 숨이 막히는 듯 소리를 지르며 거실을 가로질러 테이블 옆에 있는 소파로 간다. 잠시) 우편함에! (재빨리 거실을 가로질러 문으로 간다.) 저기 안에 있어. 토르발트, 토르발트, 우린 끝이에요.

(린데 부인, 의상을 들고 왼쪽 방에서 나온다.)

린데 자, 이만하며 다 된 것 같은데, 한번 입어볼래-?

노라 (들키지 않으려는 듯 속삭이며) 크리스틴, 이리 와 봐요.

린데 (의상을 소파 위에 던져 놓으며) 어디가 아픈 거야? 표정이 안 좋아!

노라 이리와 봐요. 저 편지 보이죠? 저기, 봐- 우편함 구멍으로 들여다보여요.

린데 응, 보여.

노라 크로그스타트의 편지에요.

린데 노라- 크로그스타트가 돈을 빌려준 거야?

노라 네, 이제 토르발트도 알게 될 거예요.

린데 노라, 내 생각엔 남편이 아는 게 너희 부부를 위해서 좋을 것 같아.

노라 크리스틴이 모르는 게 하나있어요. 나 서명을 위조했어요.

린데 세상에나-

노라 이건 크리스틴한테만 말하는 거예요. 내 증인이 될 수 있게.

린데 증인? 그게 무슨 말이야? 내가 뭘 하면-?

노라 내가 만약에 정신이 나가버리면— 곧 그렇게 될 것 같아—

린데 노라!

노라 만약에 나한테 무슨 일이라도 생기면— 어떤 일이든 — 예를 들어, 집에 올 수가 없다든지 말예요.

린데 노라! 노라! 너 정말 제정신이 아니구나.

노라 그런데, 만약에 누군가가 모든 책임을 지고 혼자서 모든 모욕을 감당하려고 하거든 말예요—

린데 그래, 그래, 그런데 왜 그런 생각을 하는 거야?

노라 그렇게 되면, 꼭 내 증인이 되어줘야 해요, 크리스틴. 사실이 아니라고 말이야. 난 지금 정신이 아주 또렷하고 맑은 상태에서 얘기하고 있는 거예요. 아무도 그 일에 대해서 알지 못했고, 나 혼자서 모든 일을 저지른 거야. 꼭 기억해야 해요.

린데 그렇게 할게. 근데 난 이게 전부 무슨 말인지 모르겠어.

노라 어떻게 이해할 수가 있겠어요. 곧 엄청난 일이 벌어질 거야.

린데 엄청난 일?

노라 그래요, 엄청난 일!— 하지만, 끔찍하기도 하지, 크리스틴. 어떤 경우에도 있어서는 안 되는 일이에요.

린데 내가 지금 가서 크로그스타트를 만나 볼게.

노라 가지 말아요. 크리스틴도 헤칠 거예요.

린데 그래도 한 때는 나를 위해서라면 무엇이든 하던 사람이야.

노라 그 사람이?

린데 어디에 살아?

노라 내가 어떻게 알겠어요? 그래. (주머니 속을 찾는다) 여기 그 사람 명함. 하지만 저 편지는, 저 편지－!

헬메르 (서재에서 문을 두드리며 큰 소리로 부른다.) 노라!

노라 (불안한 듯 큰 소리로) 네, 무슨 일이에요? 뭐가 필요하세요?

헬메르 안 들어갈 테니 그렇게 놀라지 말아요. 문까지 잠갔잖아요. 의상을 입어보고 있는 거예요?

노라 네, 맞아요. 아주 잘 맞아요, 토르발트.

린데 (명함을 보고나서) 바로 이 근처 골목에 사는데.

노라 그래, 하지만 소용없어. 이제 아무런 희망도 없어요. 편지는 이미 우편함 안에 있어요.

린데 남편이 우편함 열쇠를 가지고 있고?

노라 항상.

린데 크로그스타트가 돌려달라고 해야 해. 이유를 찾을 수 있을 거야.

노라 하지만 토르발트는 늘 이 시간쯤에 우편함을 확인－

린데 남편에게 가서 좀 지연시켜봐. 그동안 난 그 사람한테 다녀올 테니까.

(서둘러 현관 쪽 복도를 지나 퇴장)

노라 (헬메르의 서재로 가서 문을 살짝 열고 안을 들여다본다.) 토르발트!

헬메르 (방 안에서) 이제야 겨우 내 방에 들어가도 되는 건가? 이리 오세요, 랑크 박사님. 이제 볼 수− (문 앞에서 갑자기 멈추며) 그런데 이건 뭐지?

노라 뭔데 그래요, 여보?

헬메르 랑크 박사님이 마치 엄청난 변신을 보게 될 것처럼 얘기했는데 말이야.

랑크 (문에서) 난 그렇게 이해했는데 내가 잘못 알아들은 모양이네.

노라 맞아요, 내일까지는 아무도 완벽하게 의상을 차려입은 모습을 볼 수 없어요.

헬메르 그런데, 여보, 노라, 당신 꽤 피곤해 보이는데. 연습을 너무 많이 하는 거 아니에요?

노라 아니오, 아직 하나도 안 했어요.

헬메르 연습은 필요할 텐데.

노라 맞아요, 해야겠어요, 토르발트. 근데 난 당신 없이는 연습을 할 수가 없어요. 완전히 다 잊어버렸거든요.

헬메르 아, 그럼 곧 함께 해봅시다.

노라 그래요, 도와주세요, 토르발트. 꼭 해준다고 약속해요! 너무 떨려요― 사람들이―. 오늘 저녁은 전적으로 나를 위해 시간을 내주세요. 일은 절대 안 돼요. 아주 조금도. 펜도 잡으면 안 된다고요. 약속할 수 있죠, 여보 토르발트?

헬메르 약속해요, 오늘밤 나는 완전히 당신 거예요, 여보. (현관 문 쪽으로 간다.)

노라 어디 가세요?

헬메르 편지 온 게 있는지 보려고요.

노라 안 돼요. 안 돼, 가지 마세요, 토르발트!

헬메르 왜 그래요?

노라 토르발트, 제발 가지 말아요. 아무것도 없어요.

헬메르 그냥 보기만 할게요. (돌아서 나가려고 한다. 노라, 피아노로 가서 타란텔라 곡의 첫 부분을 친다. 헬메르, 문 앞에서 멈춰 선다.) 아하!

노라 지금 당신하고 같이 연습하지 않으면 전 내일 춤을 출 수가 없어요.

헬메르 (노라에게 가며) 정말 그렇게까지 걱정이 되는 거예요, 여보?

노라 네, 끔찍하게 무섭다고요. 지금 바로 연습해요. 저녁식사 전에 지금 시간이 있잖아요. 앉아서 반주해주세요, 여보, 잘 보고 제대로 할 수 있게 가르쳐주고 바로 잡아주세요.

헬메르 당신이 원한다면 기꺼이 그렇게 해야지요. (피아노 앞에 앉는다.)

노라 (상자 속에서 탬버린과 멀티컬러의 긴 숄 하나를 꺼내서 급하게 어깨에 두른다. 무대 전명으로 튕기듯 나와서 큰소리로) 이제 연주해줘요! 내가 춤을 출게요!

(헬메르는 연주를 하고 노라는 춤을 춘다. 랑크는 헬메르 뒤에 피아노에 기대어 바라본다.)

헬메르 (연주하며) 느리게, 느리게!

노라 이렇게 밖에 안돼요.

헬메르 너무 난폭하게 추지 말아요, 노라!

노라 이렇게 하는 거예요.

헬메르 (연주를 멈춘다.) 아냐, 아니에요. 전혀 그렇게 하는 게 아니에요.

노라 (웃으며 탬버린을 흔들며) 내가 말했잖아요?

랑크 내가 반주를 해보지.

헬메르 (일어서며) 그래요. 그럼 내가 가르쳐 주기가 더 쉽겠군요.

(랑크, 피아노 앞에 앉아 연주한다. 노라, 점점 더 격렬하게

춤춘다. 헬메르, 난로 옆에 앉아 춤을 추는 노라에게 설명한다. 노라에게는 들리지 않는 듯하다. 그녀의 머리는 헝클어지고 풀려 내려온다. 노라는 신경 쓰지 않고 계속 춤춘다. 린데 부인 등장)

린데 (넋을 잃은 듯 문 앞에 멈춰 선다) 오-!

노라 (춤을 추면서) 너무 재밌어, 크리스틴!

헬메르 그래요 그런데 여보 노라, 당신 마치 이 춤에 당신 목숨이라도 걸려 있는 것처럼 춤을 추고 있단 말이에요.

노라 사실이 그래요.

헬메르 그만! 이건 정말 미친 짓이야. 그만하라고! (랑크, 연주를 멈춘다. 노라, 갑자기 멈춰 선다. 노라에게 다가가며) 정말 믿을 수가 없어. 당신 내가 가르쳐준 걸 완전히 잊어버렸잖아.

노라 (탬버린을 던지며) 내가 그랬잖아요.

헬메르 거의 다 다시 배워야겠어.

노라 그래요, 얼마나 절실히 연습이 필요한지 보셨죠. 그러니까 당신이 끝까지 나랑 같이 연습해야 해요. 그렇게 하겠다고 약속해요, 토르발트!

헬메르 그건 약속해요.

노라 오늘하고 내일은 정말 나만 생각해야 해요. 편지 하나도 뜯어 봐서는 안 돼요. 우편함도 열지 마시고요.

헬메르 아, 아직도 그 사람 때문에 그러는군요.

노라 그래요, 솔직히 그런 것도 있어요.

헬메르 노라, 당신 표정을 보니 우체통 안에 그의 편지가 있는 것 같군요.

노라 난 몰라요. 그런 것 같아요. 하지만 당신은 지금 그런 걸 읽으면 안돼요. 지금 우리 사이에 그런 불쾌한 일들이 끼어들어서는 안 된다고요.

랑크 (헬메르에게 나지막이) 부인 말대로 하는 게 좋겠어.

헬메르 (노라를 품에 안으며) 우리 아기가 원하는 대로 하죠. 하지만 내일 저녁 파티 후에는—

노라 그때는 원하시는 대로 하세요.

헬렌 (오른쪽 문 앞에서) 사모님, 식사준비 다 됐습니다.

노라 샴페인도 준비해줘, 헬렌.

헬렌 알겠습니다, 사모님. (퇴장)

헬메르 이것 봐,— 잔치라도 할 생각이에요?

노라 네, 새벽까지 샴페인 파티해요 우리. (큰소리로) 그리고 마카롱도 몇 개 준비해줘, 헬렌— 아니 이번엔 많이.

헬메르 자, 자, 그렇게 감정적으로 행동하지 말고. 나의 작고 귀여운 종달새처럼 굴어야죠.

노라 네, 여보. 그렇게 할게요. 하지만 지금은 들어가세요. 박사님도요. 크리스틴은 내 머리를 다시 올릴 수 있게 좀 도와줄 수 있어?

랑크 (나가면서 헬메르에게 낮은 목소리로) 무슨 일이라도 벌어지는 건 아니겠지?

헬메르 전혀 아니에요, 그냥 어린애처럼 긴장감을 견디지 못해서 저러는 겁니다. (오른쪽으로 퇴장)

노라 어떻게 됐어?

린데 어딜 간 모양이야.

노라 네 표정보고 그럴 줄 알았어.

린데 내일 저녁때 돌아온데. 쪽지를 남겨두고 왔어.

노라 그냥 둬도 되는데. 아무것도 막으려고 하지 마. 끔찍한 일이 벌어질 걸 알면서 기다리는 일도 꽤 흥미 있는 일이야.

린데 뭘 기다리는데?

노라 오, 크리스틴은 이해하지 못할 거야. 어서 들어가 봐. 나도 곧 갈게. (린데 부인, 오른쪽으로 퇴장한다. 노라, 진정하려는 듯 잠시 그대로 서 있다가 시계를 본다.) 다섯 시. 자정까지 일곱 시간 남았어. 그리고 다음 자정까지는 이십사 시간이 더 남았고. 그리고 나면 타란텔라는 끝났겠지. 이십사 하고 일곱? 서른한 시간 남았구나.

헬메르 (오른쪽 문 쪽에서) 우리 귀여운 종달새는 어디 있죠?

노라 (팔을 벌리고 그에게 간다.) 여기 있어요!

제3막

같은 방. 테이블이 의자들과 함께 무대 중앙에 놓여 있다. 테이블 위에는 불 켜진 램프가 놓여 있고 복도로 향하는 문은 열려 있다. 음악이 위로부터 들려온다. 린데 부인은 테이블에 앉자 여유롭게 책장을 넘기고 있다. 책을 읽으려고 노력하지만 쉽지 않은 모습이다. 이따금씩 바깥에서 들려오는 소리를 주의를 기울여 듣는다.

린데 (시계를 보며) 시간이 거의 다되어가는데 아직 안 오네. 만약에 오지 않으면― (다시 귀 기울이며) 아, 저기 온다. (복도로 가서 현관문을 조심스럽게 연다. 위층으로부터 가벼운 발소리가 들린다. 속삭이며) 들어오세요. 아무도 없어요.

크로그스타트 (문에 서서) 두고 가신 쪽지를 봤습니다. 무슨 일이죠?

린데 당신과 꼭 얘기하고 싶었어요.

크로그스타트 그래요? 장소도 꼭 이곳이어야 했던 겁니까?

린데 제가 지내는 곳은 출입구가 따로 없어서 도저히 불가능 했어요. 들어오세요. 우리뿐이에요. 헬렌은 자고 있고 헬메르 씨 부부는 윗집 파티에 갔어요.

크로그스타트 (방 안으로 들어서며) 헬메르 씨 부부가 정말 파티에 가셨습니까?

린데 네, 안 되나요?

크로그스타트 아니요, 안 될 리가 있겠습니까?

린데 그럼, 닐스, 우리 얘기 좀 해요.

크로그스타트 우리 두 사람 사이에 할 얘기가 남아 있었나요?

린데 아주 많이 남아 있죠.

크로그스타트 저는 그렇게 생각하고 있진 않았습니다만.

린데 그럼요, 당신은 한 번도 날 제대로 이해한 적이 없으니까요.

크로그스타트 그렇게 명확한 행동에 따로 이해해야 했던 것이 뭐가 또 있었죠? 매정한 여자가 괜찮은 기회가 오자마자 애인을 차버렸는데요.

린데 나를 그렇게까지 완벽하게 매정한 사람으로 생각해요? 정말 내가 가벼운 마음으로 그렇게 했다고 믿어요?

크로그스타트 아닌가요?

린데 닐스, 정말 그렇게 생각해요?

크로그스타트 당신이 나를 조금이라도 생각했다면, 왜 나한테 그런 편지를 보냈죠?

린데 선택의 여지가 없었어요. 당신과 헤어져야만 했고, 당신을 완전히 단념시켜야 했으니까요.

크로그스타트 (두 손을 쥐고 비틀며) 그래, 그랬군요. 이 모든 것이 — 모두 돈을 위해서!

린데 나에겐 돌봐드려야 하는 어머니와 어린 두 동생들이 있었다는 걸 잊지 마세요. 우린 당신을 기다릴 수가 없었어요, 닐스. 당신의 미래도 그닥 희망적으로 보이지는 않았고요.

크로그스타트 그랬을 수도 있죠. 하지만 그렇다고 해도 다른 사람 때문에 나를 그런 식으로 내동댕이칠 권리는 당신에게 없었습니다.

린데 맞아요. 나도 모르겠어요. 나도 그럴 권리가 있는 사람인지에 대해 스스로에게 질문했었어요.

크로그스타트 (더 부드럽게) 당신을 잃었을 때 난 마치 서 있을 땅을 잃어버린 느낌이었습니다. 나를 보세요— 간신히 파편을 붙잡고 버티고 있는 난파선의 조난자와 같습니다.

린데 그리 멀지 않은 곳에 도움의 손길이 있을 수도 있어요.

크로그스타트 그랬죠, 근데 당신이 나타나서 이렇게 가로막고 있군요.

린데 의도한 게 아니에요, 닐스. 나도 오늘 내가 당신 대신에 고용이 된 거라는 얘길 들었어요.

크로그스타트 그렇게 말씀하시니 믿겠습니다. 그렇담 이제라도 아셨으니 그 자리를 포기할 생각은 없으신가요?

린데 아뇨, 내가 그렇게 한다고 그게 당신에게 득이 되지는 않을 테니까요.

크로그스타트 오, 이득, 이득이요. 저라면 이득이 없다고 하더라도 그렇게 했을 겁니다.

린데 고단한 인생 그리고 쓰디쓴 운명이 저에게 신중하게 행동해야 한다고 가르쳐줬죠.

크로그스타트 난 인생에게 그럴싸한 말은 믿지 말라는 것을 배웠습니다.

린데 정말 합리적인 것을 배우셨네요. 그렇다면 행동은 믿으시겠네요?

크로그스타트 무슨 말씀이죠?

린데 아까 당신이 난파선의 조난자라고 하셨죠?

크로그스타트 그렇게 말할 만한 충분한 이유가 있습니다.

린데 저도 역시 조난자에요. 걱정해줄 사람도 돌봐줄 사람도 없는.

크로그스타트 당신 선택이었어요.

린데 그때는 선택의 여지가 없었어요.

크로그스타트 그래서 지금 어떻게 하자는 말입니까?

린데 닐스, 두 명의 조난자들이 손을 잡으면 어때요?

크로그스타트 무슨 말을 하는 겁니까?

린데 혼자보다는 조난자들끼리 함께 하면 어떨까요?

크로그스타트 크리스틴 난－

린데 내가 왜 이 도시에 다시 돌아왔다고 생각해요?

크로그스타트 지금 내 생각을 했다는 얘길 하는 겁니까?

린데 일을 하지 않고는 살 수가 없었어요. 기억나는 한 난 항상 일을 했고 일을 하는 게 내 최고이자 유일한 낙이었죠. 그런데 전 지금 완전히 혼자에요. 내 삶은 무섭도록 텅 비어서 버림받은 느낌이죠. 오직 자신만을 위해서 일한다는 건 조금도 즐겁지 않아요. 닐스, 내가 아끼고 보살필 수 있는 그런 사람이 되어주세요.

크로그스타트 믿을 수 없어요. 이건 여자들이 가지고 있는 지나친 관용이 당신을 지배하고 있는 겁니다.

린데 한번이라도 나에게서 그런 성향을 본 적이 있어요?

크로그스타트 정말 할 수 있단 말입니까? 말해 봐요— 내가 지금까지 어떻게 살아왔는지 알고 있습니까?

린데 네.

크로그스타트 여기 사람들이 나를 어떻게 생각하는 알고 있습니까?

린데 나와 함께 했었다면 다른 사람이 되었을 거라 얘기하신 거 아니었어요?

크로그스타트 분명 그랬겠죠.

린데 지금은 너무 늦었나요?

크로그스타트 크리스틴, 정말 잘 생각해보고 하는 말입니까? 정말이군요. 당신 얼굴을 보면 알 수 있어요. 정말 그렇게 할 용기가—

린데 난 누군가의 엄마가 되고 싶고 당신 아이들은 엄마가 필요해요. 우린 서로에게 필요한 사람들이에요. 닐스,

난 당신의 진짜 성품을 믿어요. 당신과 함께하면 뭐든지 할 수 있어요.

크로그스타트 (그녀의 손을 잡으며) 고마워요, 고마워, 크리스틴. 이제 나도 내 불명예를 씻고 사람들 앞에 당당할 수 있는 길을 찾아볼게요. 아, 근데 내가 잠시 잊었군−

린데 (귀를 기울인다.) 쉿! 타란텔라 소리에요! 가요. 어서 가세요!

크로그스타트 왜죠? 무슨 일이에요?

린데 위층에서 나는 소리 들리세요? 저 음악소리가 그칠 때쯤이면 헬메르 씨 부부가 돌아올 거예요.

크로그스타트 그래요, 그래− 갈게요. 그런데 아무소용 없어요. 당신은 내가 지금까지 헬메르 씨 댁과 관련된 일들을 어떻게 진행시켜 왔는지 모르겠죠.

린데 알고 있어요.

크로그스타트 그럼, 그걸 알면서도 나에게 그런−

린데 당신 같은 분이 절박한 상황에 놓이면 어디까지 갈 수 있는지는 이해할 수 있어요.

크로그스타트 없었던 일로 할 수만 있다면!

린데 할 수 없어요. 당신 편지는 지금 우편함에 있으니까요.

크로그스타트 그게 정말이에요?

린데 네 확실해요, 하지만−

크로그스타트 (그녀를 살피듯 바라보며) 이것 때문입니까? 어떻게 해서라도 당신 친구를 돕겠다? 솔직하게 말해주십시오. 그런가요?

린데 닐스, 한번 다른 사람 때문에 자기 자신을 잃어본 사람이라면 같은 실수를 두 번 저지르지는 않아요.

크로그스타트 편지를 되돌려 달라고 하겠어요.

린데 아니오, 안돼요.

크로그스타트 그렇게 하겠어요. 헬메르가 내려오길 기다렸다가 편지를 돌려줘야 한다고 말하겠어요. 내 해고통지서와 관련 된 내용이라고― 읽을 필요 없다고―

린데 아니, 닐스, 편지를 돌려받을 필요는 없어요.

크로그스타트 하지만, 당신이 나를 여기서 보자고 한 이유가 그게 아닌가요?

린데 네, 처음엔 그랬어요. 하지만 그 후로 24시간이 지났고 그동안 난 이 집에서 믿기 힘든 일들을 봤어요. 헬메르는 이 모든 것을 알아야 해요. 그 무서운 비밀은 알려져야 해요. 두 사람은 서로를 더 완벽하게 이해해야만 해요. 하지만 이렇게 큰 비밀을 감춰두고는 거짓만 계속될 거예요.

크로그스타트 좋습니다. 당신이 책임지겠다면. 하지만 내가 할 수 있는 게 하나 있어요. 지금 바로요.

린데 (귀를 기울이며) 지금 가야 해요, 빨리요! 음악이 끝났어요. 여긴 안전하지 않아요.

크로그스타트 아래서 기다릴게요.

린데 네, 그래요. 집까지 바래다주세요-

크로그스타트 지금까지 내 인생에 이런 행운은 없었어요. (현관을 통해 나간다. 이 방과 복도를 연결하는 문은 열려 있다.)

린데 (방을 정리하고 모자와 코트를 준비해 놓는다.) 커다란 변화가 생겼어! 커다란 변화! 누군가를 위해 살고 일하고-아늑한 가정. 내가 해낼 거야. 빨리 그 날이 왔으면 좋겠어. (듣는다.) 아, 오는구나. 나갈 준비를 해야겠어. (모자와 코트를 든다. 밖에서 헬메르와 노라의 말소리가 들린다. 열쇠로 문을 연다. 헬메르, 노라를 거의 강제로 복도에 데리고 들어온다. 노라는 이태리식 의상에다 어깨에는 커다란 검정색 숄을 두르고 있다. 헬메르는 검정색 예복에 가면이 달린 두건[도미노]을 대강 걸치고 있다.)

노라 (문으로 들어오길 거부하고 발버둥 치며) 싫어, 싫어, 싫어요. 안 들어가요. 다시 파티에 갈래요. 이렇게 빨리 파티를 떠나기는 싫다고요.

헬메르 하지만, 여보 노라-

노라 제발요, 여보, 토르발트- 제발, 정말, 딱 한 시간만 더요.

헬메르 더 이상은 안 돼요, 노라. 약속했잖아요. 방으로 들어와요. 여기 이렇게 서있으면 감기에 걸린다고요. (그녀가 반항하지만 조심스럽게 방 안으로 데려온다.)

린데 오셨네요.

노라 크리스틴!

헬메르 이렇게 늦은 시간까지, 아직, 계셨군요.

린데 네, 죄송해요. 노라가 의상을 갖춰 입은 걸 꼭 보고 싶었어요.

노라 여기 앉아서 계속 기다린 거야?

린데 응, 아쉽게도 좀 늦게 도착했더니 이미 올라갔더라고, 노라를 안 보고 갈 수가 없어서 이렇게—

헬메르 (노라의 숄을 걷으며) 자, 그럼 잘 보세요. 기다린 보람 있죠? 정말 아름답지 않습니까, 린데 부인?

린데 네, 정말 그래요—

헬메르 아름다움의 결정체라고 할 수 있겠죠, 안 그렇습니까? 파티에서도 다들 그 얘기뿐이더군요. 근데, 저 사람 참 고집쟁입니다. 이렇게 귀여운 사람이 말예요. 도무지 어떻게 해야 할지 모르겠어요. 거의 강제로 끌고 나왔다니까요.

노라 오, 토르발트. 30분만이라도 더 즐기게 두지 않은 걸 이제 후회할 거예요.

헬메르 저것 봐요. 노라는 타란텔라를 추고 엄청난 박수갈채를 받았어요. 물론 박수 받을 만 했죠— 사실 좀 너무 자연스러운 부분이 있기는 했습니다. 예술적 표현의 정도를 벗어났다고 할 수 있겠죠. 하지만 그건 상관

없습니다. 그게 중요한 건 아니니까요. 춤은 기대이상으로 성공적이었어요. 그런데 어떻게 파티에 더 머무르게 할 수가 있겠습니까? 카프리의 소녀— 나의 소중한 카프리 소녀라고 불러도 되겠죠— 전 그녀를 품에 안고 파티장을 한 바퀴 돌았어요— 그리고 소설에 나오는 것처럼— 공연은 끝이 났습니다. 그리고 멋지게 퇴장해야 되지 않겠습니까, 린데 부인. 근데 노라는 이걸 이해하지 못합니다. 휴우, 좀 덥군요. (도미노를 벗어 의자 위에 던지고 서재 문을 연다.) 왜 이렇게 어둡죠? 아, 당연히 그렇지. 잠시 실례하겠습니다. (들어가서 초를 켠다.)

노라 (숨 가프지만 날카로운 속삭임으로) 어떻게 됐어요?

린데 (나지막이) 그 사람이랑 얘기했어.

노라 그리고—?

린데 노라—남편에게 이 일에 대해 반드시 얘기해야 해.

노라 (무심한 듯) 그럴 줄 알았어.

린데 크로그스타트에 관해서는 두려워할 필요 없어. 하지만 말해야 해.

노라 안 할 거예요.

린데 그럼 저 편지가 하겠지.

노라 고마워요, 크리스틴. 이제 내가 뭘 해야 하는지 알 것 같아요.

헬메르 (다시 들어오며) 자, 그럼, 린데 부인. 이제 노라를 충분히 감상하셨습니까?

린데 네, 이제 전 이만 가봐야겠어요.

헬메르 네? 벌써요? 이 뜨개질 거리는 부인 것인가요?

린데 네, 감사합니다. 하마터면 두고 갈 뻔했네요.

헬메르 뜨개질을 하시나보죠?

린데 네.

헬메르 그거 아십니까? 자수를 놓는 게 더 나을 겁니다.

린데 정말요? 왜요?

헬메르 훨씬 더 예쁘게 보이니까요. 보세요, 왼손에는 자수를 들고, 오른손으로는 바느질을 하죠. 부드럽게 쓸어내리는 듯한 곡선으로— 그렇죠?

린데 네, 그렇게 볼 수도—

헬메르 그런데 뜨개질은 말입니다. 어떻게 해도 안 예쁘거든요. 보세요. 여기 이렇게 양쪽 팔은 꼼짝 못하게 움츠리고 있죠. 뜨개바늘은 위아래로 움직이는데 뭔가 중국풍이란 말이에요. 아, 근데 오늘 마신 샴페인은 정말 좋았어.

린데 그렇군요. 그럼 저는 이만. 노라, 이제 더 이상 고집부리지 마.

헬메르 맞는 말씀입니다, 린데 부인!

린데 안녕히 주무세요, 헬메르 씨.

헬메르 (문까지 배웅하며) 안녕히 가세요. 안녕히 조심해서 들어가세요. 제가 모셔다 드릴 수도 있지만― 그리 멀지 않으니. 안녕히 가십시오. 조심하시고요. (린데 부인이 나가자 문을 닫고 돌아온다.) 아, 드디어 갔어. 정말 무서우리만큼 따분한 여자야.

노라 피곤하지 않아요, 토르발트?

헬메르 아니 전혀.

노라 졸리지 않아요?

헬메르 조금도. 사실 정반대야. 좀 들뜬 것 같아. 당신은? 정말 피곤해 보이는데.

노라 네, 많이 피곤해요. 곧 자야겠어요.

헬메르 거 봐요, 거 봐. 바로 오길 잘했지.

노라 맞아요, 당신이 하는 일은 모두 옳아요.

헬메르 (이마에 키스하며) 우리 귀여운 종달새가 제법 사람 같은 말은 다 하는군. 오늘 랑크 박사가 얼마나 즐거워하는지 당신도 봤죠?

노라 그랬어요? 오늘은 박사님하고 얘기할 틈도 없었어요.

헬메르 나도 그랬어요. 그래도 그렇게 즐거워하는 모습을 본지가 정말 오래된 것 같단 말이에요. (그녀를 잠시 바라보더니 가까이 다가온다.) 흠, 집에 이렇게 돌아오니 정말 좋아요― 이렇게 우리 둘만 있으니 말이야. 오, 나의 매혹적이고 사랑스러운 여인!

노라 그렇게 쳐다보지 말아요. 토르발트!

헬메르 왜 내가 나의 가장 소중한 재산을 바라보면 안 되는 거지? 이렇게 아름다운 당신이 내 것인데. 내 거라고. 완전한 내 것!

노라 (테이블 반대편으로 간다.) 오늘은 나에게 그런 식으로 얘기하지 말아주세요.

헬메르 (노라를 따라가며) 아직 타란텔라의 흥분에서 벗어나지 못하고 있군요. 그래요— 난 당신의 그런 모습이 더욱 매력적으로 느껴진단 말이야. 잘 들어봐. 손님들이 떠나기 시작하는 것 같은데. (목소리를 낮추어) 노라— 곧 집안이 조용해질 거예요.

노라 그랬으면 좋겠네요.

헬메르 당신도 그렇지, 그런 거지, 내 사랑? 당신 왜 내가 이런 파티에 당신과 함께 갈 때마다 당신하고 얘기도 별로 안 하고 거리를 두는지 알아요? 잠깐씩 슬쩍슬쩍 훔쳐보기만 하고 말이야— 왜 그런지 알아요? 왜냐면 말이야, 그때마다 난 당신이 내 숨겨둔 애인이라는 상상을 해요— 숨겨둔 약혼자라서 아무도 우리 사이를 의심하지 않는 그런 상상을 말이야.

노라 네, 네, 그렇죠. 당신은 항상 내 생각만 하죠.

헬메르 그리고 우리가 집을 나설 때 당신의 아름다운 어깨에 내가 숄을 걸쳐주고 당신의 목선을 살짝 덮도록 말이야. 그리곤 당신이 나의 젊은 신부인 척 하지. 지금 막 결혼식장에서 나와서 처음으로 당신을 우리 집에 데려가는 거야. 처음으로 당신과 혼자 있는 거지– 완전히 혼자– 당신의 가슴 떨리는 듯한 아름다움과 함께. 오늘 저녁 내내 난 당신만을 애타게바라고 있었어. 그런데 당신이 타란텔라를 추는 모습을 봤을 땐– 피가 끓는 것 같았어. 그래서 빨리 당신을 데리고 빠져 나온 거야.

노라 저리 가요, 토르발트! 놔 주세요. 난 지금–

헬메르 그게 무슨 뜻이야? 농담하는 거죠, 노라! 당신– 당신 싫다고? 내가 당신 남편이 아닌가? (현관문에서 노크 소리가 들린다.)

노라 (깜짝 놀라며) 들었어요–?

헬메르 (복도로 향하며) 누구죠?

랑크 (밖에서) 나야. 잠깐 들어가도 될까?

헬메르 (불만스러운 듯하게 낮은 소리로) 아, 또 뭘 원하는 거지? (큰 소리로) 잠깐만요! (문을 열며) 들어오세요, 그냥 지나가지 않고 들려줘서 고맙습니다!

랑크 자네 목소리를 들은 것 같았는데 왠지 들려야 할 것 같아서 말이야. (빠르게 한번 둘러보고) 아, 그래! 낯익은 공간들. 두 사람은 여기서 아늑하고 행복하지, 그렇지?

헬메르 아까 보니 박사님도 위층에서 꽤 즐거운 시간을 보내는 것 같던데요.

랑크 완벽했어. 나는 그러면 안 되나? 인생을 즐기는 게 뭐 잘못된 거야? 즐길 수 있는 한 최대한 말이야. 와인은 정말 최고였고—

헬메르 특히 그 샴페인은 정말—

랑크 자네도 그렇게 생각해? 얼마나 많이 마셨는지 정말 상상도 못할 거야!

노라 토르발트도 오늘 저녁엔 샴페인을 많이 마셨어요.

랑크 그래요?

노라 네, 그렇게 마시고 나면 저렇게 기분이 좋아요.

랑크 하루를 잘 보내고 저녁때가 되면 좀 즐기는 것이 잘못되었다고 할 수는 없죠?

헬메르 잘 보냈다고요? 아쉽게도 잘 보냈다고는 할 수 없겠는데요.

랑크 (그의 어깨를 두드리며) 난 그렇게 말할 수 있어, 알지?

노라 랑크 박사님, 오늘은 과학적 탐구에 몰두하셨나 봐요.

랑크 바로 그겁니다!

헬메르 들어봐!— 우리 철부지 노라가 과학적 탐구라는 말을 다 하고!

노라 결과에 축하의 말씀을 전해도 될까요?

랑크 물론이지요.

노라	좋은 결과로군요, 그럼?
랑크	의사로서도, 환자로서도, 분명히 최고의 결과입니다.
노라	(급하게 추궁하듯이) 분명이요?
랑크	확실합니다. 그걸 알고서 어떻게 오늘밤을 즐기지 않을 수가 있겠습니까?
노라	그래요. 당연하죠, 박사님.
헬메르	저도 그렇게 생각해요. 아침에 일어나서 후회할 일만 하지 않는다면 말이에요.
랑크	대가를 치르지 않고 가질 수 있는 건 이 세상에 없지.
노라	박사님은 가장파티 같은 걸 좋아하시나 봐요?
랑크	네, 다양하고 아름다운 의상들이 있다면요.
노라	그럼- 다음엔 어떤 의상을 추천하세요?
헬메르	벌써 다 잊은 거야- 어떻게 벌써 다음 파티를 생각할 수가 있지?
랑크	우리 둘이요? 그렇다면, 제가 말씀드리지요. 부인은 착한 요정으로 가시는 게 좋을 것 같습니다.
헬메르	그래, 그럼 의상은 어떤 게 있을까요?
랑크	평소의 부인처럼 입고 가시면 되지.
헬메르	좋아요, 좋아. 그럼 박사님은 뭐가 될 생각이죠?
랑크	그건 결정했지.
헬메르	그래요?
랑크	다음 파티에 난 투명인간이 되기로 했어.

헬메르 좋아요, 재미있군요!

랑크 큰 검정 모자 말이야— 투명인간으로 변하게 만들어 주는 모자에 대해서 들어본 적 없어? 모자를 쓰기만 하면 아무도 날 보지 못하지.

헬메르 (웃음을 참으며) 그래요, 그래.

랑크 근데, 내가 여기에 왜 왔는지 잊고 있었어. 헬메르, 시가 하나만 줘. 그 진한 하바나 시가 말이야.

헬메르 기꺼이. (시가 케이스를 준다)

랑크 (하나를 꺼내서 끝을 끊는다.) 고마워.

노라 (성냥에 불을 붙이며) 불은 제가 드리죠.

랑크 고맙습니다. (노라, 시가에 불을 붙일 수 있도록 성냥불을 들어준다.) 그럼 안녕히 계세요!

헬메르 안녕히 가세요, 안녕히, 박사님!

노라 안녕히 주무세요, 박사님.

랑크 감사합니다.

노라 저도 그렇게 할 수 있게 빌어주세요.

랑크 부인도요? 그래요. 부인이 그렇게 원하신다면— 안녕히 주무세요! 불 감사합니다. (두 사람에게 고개로 인사를 하고 나간다.)

헬메르 (가라앉은 목소리로) 술을 너무 많이 마셨군.

노라 (멍하게) 글쎄요. (헬메르, 열쇠 꾸러미를 주머니에서 꺼내 들고 복도를 향해 나간다.) 토르발트! 거기서 뭘 하려고요?

헬메르 우편함을 확인해야겠어. 꽤 가득 찼는걸. 내일 아침에 신문이 들어 갈 자리가 없을 것 같아요.

노라 오늘밤에도 일을 할 거예요?

헬메르 아니라는 걸 알면서 그러는군요. 이게 뭐지? 누가 자물쇠 건드렸는데.

노라 자물쇠를요?

헬메르 그래. 누군가가 건드렸어. 무슨 일이지? 설마 하녀들이―? 여기 부러진 머리핀이 있군. 노라, 이건 당신 것인데.

노라 (재빨리) 그럼, 애들이 그랬나 봐요―

헬메르 그런 버릇은 고쳐야 해요. 흠― 그래도 열리긴 하네. (안에 있는 것들을 꺼내고 부엌 쪽을 향해 소리친다.) 헬렌!― 현관 불을 꺼요. (방 안으로 돌아와서 문을 닫는다. 손에 우편물 더미를 내밀며) 이것 봐요. 얼마나 많이 쌓여 있었는지. (우편물 더미를 뒤집는다.) 이건 뭐지?

노라 (창가에서) 편지! 안 돼요, 토르발트! 안 돼!

헬메르 명함 두 장― 랑크 박사거군.

노라 랑크 박사님이요?

헬메르 (명함을 바라보며) 의학박사 랑크라― 맨 위에 있는 걸 보니 나가면서 넣은 것 같아.

노라 뭐라고 적혀 있어요?

헬메르 이름 위로 검은 십자가가 있어. 이거 봐요, 느낌이 좋지 않아. 꼭 자신의 죽음을 암시하려는 것 같잖아.

노라 그런 거예요.

헬메르 뭐? 당신은 뭘 알고 있는 거예요? 당신한테 무슨 얘길 해요?

노라 네, 박사님께서 그 명함이 도착하면 그건 박사님이 우리 곁을 떠나는 것일 거라고 하셨어요. 박사님은 스스로를 가두고 돌아가실 생각이에요.

헬메르 안타까운 일이야. 우리와 그리 오래 머무를 수 없을 거라는 건 알고 있었지만 이렇게 빨리! 꼭 상처 입은 짐승처럼 몸을 숨기려고 하는군.

노라 피할 수 없는 일이라면 말없이 받아들이는 편이 나아요. 그렇지 않아요, 토르발트?

헬메르 (왔다 갔다 하며) 우리랑은 정말 한 가족 같았는데 말이야. 랑크 박사님이 없는 생활은 생각할 수 없단 말이야. 박사님과 그 분의 고뇌 그리고 외로움은 우리의 행복한 삶에 빠질 수 없는 배경화면처럼 늘 존재했단 말이지. 어쩌면 그 분 입장에선 더 잘된 일일지도 모르지. (멈추어 선다.) 우리한테도 그럴지도 모르고, 노라. 이젠 우리 둘한텐 의지할 사람이 서로 밖에 없으니까. (노라를 안으며) 사랑하는 나의 노라! 당신에게 위험이 닥쳐서 내가 목숨을 걸고 내 모든 것을 걸고 당신을 위해 희생할 수 있는 기회가 나에게 주어지면 좋겠다고 생각해보곤 했었어요.

노라 (몸을 뺀 후 강경하면서도 단호하게 말한다.) 이제 편지들을 읽으셔야죠, 토르발트.

헬메르 아냐, 아냐, 오늘밤에는 안 읽을래요. 당신과 있고 싶어요, 사랑하는 여보.

노라 랑크 박사님의 죽음을 생각하면서요-?

헬메르 당신이 옳아요, 우리 둘 다 생각이 많겠지. 우리 사이에 어두운 생각이 자리 잡았단 말이야- 죽음에 대한 두려움. 우리 그런 생각은 떨쳐 버리도록 노력합시다. 좋아요, 그럼 그때까진, 각자 방으로 가죠.

노라 (그의 목에 매달려서) 잘 자요, 토르발트- 잘 자요!

헬메르 (그녀의 이마에 키스하며) 잘 자요, 나의 작은 종달새. 잘 자요, 노라. 이제, 난 편지들을 좀 읽어야겠어요. (우편물 더미를 들고 서재로 들어가서 문을 닫는다.)

노라 (다음의 말들을 마치 발작을 일으키듯 빠르고 거친 목소리로 하며 심난한 듯 주위를 더듬거리다 헬메르의 도미노를 잡아 몸에 두른다.) 다신 그이를 볼 수 없을 거야. 절대! 절대! 절대! (숄을 머리에서부터 두른다.) 아이들도 다시는 볼 수 없겠지. 절대! 절대!- 아, 차가운 얼음과 칠흑 같은 물- 깊이를 알 수 없는. 차라리 다 끝나버렸으면! 지금 그이 손에 있어. 지금 읽고 있어. 안녕, 토르발트. 안녕, 애들아. (밖으로 뛰어나가려 하는 순간 헬메르, 서재 문을 급하게 연다. 손에 편지를 든 채 서 있다.)

헬메르 노라!

노라 아ㅡ!

헬메르 이게 뭐지? 이 편지에 뭐가 쓰여 있는지 당신 알아요?

노라 네, 알아요. 가게 해주세요. 저를 떠나게 해주세요.

헬메르 (그녀를 잡으며) 어디를 가는 거지?

노라 (빠져 나오려 애쓰며) 저를 구하려고 하지 마세요, 토르발트!

헬메르 (불안정한 듯 뒤로 빼며) 사실이야? 내가 지금 읽은 것이 모두 사실이냐고? 끔찍하군! 아냐! 아냐! 그건 불가능해 그럴 리가 없어!

노라 사실이에요. 저는 당신을 이 세상 그 어느 것보다도 더 사랑했어요.

헬메르 오, 그런 바보 같은 변명 따위는 그만 둬!

노라 (그에게 한 발 다가선다.) 토르발트ㅡ!

헬메르 어리석은 여자 같으니라고ㅡ 도대체 무슨 짓을 한 거야!

노라 저를 가게 해주세요. 나 때문에 당신이 고통 받을 필요는 없어요. 당신이 책임지려고 하지 말아요.

헬메르 연극 따위는 집어치워! (문을 잠근다.) 여기 서서 나한테 설명해봐. 당신이 무슨 짓을 했는지 이해가 돼? 대답해 봐! 당신이 무슨 짓을 했는지 아냐고!

노라 (얼굴 표정이 점점 차가워지며 그를 똑바로 응시한 채) 네, 이제 정확하게 제가 어떤 짓을 했는지 알 것 같아요.

헬메르 (방 안을 서성이며) 정말 소름끼치는 현실이야! 지난 8년 동안 나의 즐거움이고 자랑이었던 당신이 위선자라니, 거짓말쟁이— 아니, 범죄자! 입에 담을 수도 없는 추악한 진실이 드러나는 군! 수치스러워! 수치스럽다고! (노라, 말없이 그를 응시하고 있다. 헬메르, 그녀 앞에 멈춰 선다.) 이런 일이 일어날 줄 알았어야 해. 내가 미리 생각했어야 했던 거야. 당신 아버지의 그 천박한 가치관— 조용히 해!— 당신 아버지의 그 천박함을 당신도 물려받았거든. 종교도, 도덕적 기준도, 책임감도 없는— 내가 당신 아버지를 봐준 것 때문에 벌을 받는 거야. 난 당신을 위해서 그렇게 했는데 당신은 이런 식으로 그 보답을 한단 말이야.

노라 네, 바로 그거예요.

헬메르 당신은 나의 모든 행복을 파괴시켰어. 내 미래를 모두 망쳐버렸어. 생각만 해도 끔찍한 일을! 나는 이제 그 악랄한 자의 손아귀에 있단 말이야. 나를 원하는 데로 조정하겠지, 원하는 걸 모두 하게 할 테고 나에게 지시를 하겠지— 난 거절할 수 없을 테고. 난 아무 생각 없는 여자 하나 때문에 바닥으로 떨어져 가라앉게 된 거라고!

노라 내가 사라지고 나면 당신은 그 모든 것에서 자유롭게 될 거예요.

헬메르 아는 척 하지 마. 당신 아버지도 늘 그런 식으로 말했었지. 당신 말처럼 당신이 사라진다고 해도 내게 도움이 될 건 없단 말이야. 조금도 없어. 그 작자는 여기저기 이 일을 알릴 테고 그렇게 되면 내가 당신의 범죄에 가담했다는 의심을 받게 될 거야. 내가 결혼생활 내내 그토록 소중하게 아꼈던 당신 덕분에 말이야. 이제 당신이 나한테 무슨 짓을 한 건지 알겠어?

노라 (차갑고 조용하게) 알겠어요.

헬메르 너무 믿을 수 없는 일이라서 난 아직도 받아들여지지가 않아. 하지만 어찌됐든 방법을 찾아봐야겠지. 그 숄은 벗어. 벗으라고 말하잖아. 나는 어떻게 해서든 그 자를 달랠 방법을 찾아야겠어. 어떤 대가를 치르더라고 그자의 입을 막아야 해. 그리고 당신과 나의 문제는 전과 다름없는 것처럼 보여야 해— 물론 사람들에게만 그렇게 보이도록 하는 거지. 내 집에서 지내도 좋아— 당연하겠지만. 하지만, 아이들을 돌보는 것은 허락할 수 없어. 당신을 믿고 맡길 수 없어. 내가 너무나도 사랑했던 당신에게 이런 말을 해야 하다니. 아직도— 아니, 그건 이제 지난 일이야. 지금부턴 행복이 문제가 아니지 우리에게 중요한 건 부서진 파편 조각들을 어떻게 살려서— (초인종 소리가 난다.)

헬메르 (놀라며) 뭐지? 이렇게 늦게! 최악의—? 설마 그 자가? 노라 숨어! 아프다고 할게. (노라, 꼼짝 않고 서있다. 헬메르, 문을 연다.)

헬렌 (옷을 제대로 못 입은 채로, 문으로 와서) 사모님께 편지가 왔습니다.

헬메르 이리 줘요. (편지를 받고 문을 닫는다.) 그자에게서 온 거야. 당신에게 줄 순 없어. 내가 직접 읽어 볼게.

노라 그래요, 읽어 보세요.

헬메르 (램프 옆에 서서) 용기가 나질 않는군. 이 편지가 우리를 망칠 수도 있어. 아니, 그래도 알아야겠어. (편지를 찢어 연다, 눈으로 몇 줄을 읽어내려 가더니 동봉된 종이를 살펴본다. 기쁨의 탄식을 내뱉는다.) 노라! (노라, 이상하다는 듯이 그를 본다.) 노라!— 아니, 한 번 더 읽어봐야겠어— 그래, 틀림없어. 난 살았어. 노라! 살아났어!

노라 그럼 나는요?

헬메르 물론 당신도. 우리 둘 다 살아났어. 이거 봐! 그자가 당신의 차용 증서를 돌려보냈어. 후회하고 뉘우친다고 썼어— 인생에 행복한 변화가— 뭐라 그러던 신경 쓸 것 없고. 우리는 살아났어, 노라! 아무도 당신을 해치지 못해. 오, 노라, 노라!— 아니, 먼저 이 혐오스러운 증서를 없애버려야겠어! 보자— (차용 증서를 본다.) 아니, 아니, 보고 싶지 않아. 이 모든 건 그냥 악몽일 뿐이야. (차용증서와 두 통의 편지 모두를 난로에 던져 넣고 타는 것을 지켜본다.) 자, 이젠 없어졌어. 크리스마스이브 날부터— 지난 3일 동안 정말 얼마나 괴로웠어, 노라!

노라 지난 3일 동안 난 아주 힘든 싸움을 했어요.

헬메르 극도의 고통 속에 괴로워하면서 해답이 보이지 않았겠지. 생각나는 것이라고 오로지— 아니, 우리 그 끔찍한 일은 더 이상 생각하지 맙시다. 이제 기쁨의 소리를 지릅시다. "끝났어! 이제 다 끝났어!" 내말 잘 들어봐요, 노라. 당신 이제 괜찮다는 게 실감이 안 나는 거야? 왜 그래?— 차갑게 굳은 표정으로! 나의 가여운 노라, 이해 할 수 있어. 내가 당신을 용서했다는 걸 믿기가 어렵겠지. 하지만 사실이에요, 여보. 맹세해요. 당신이 나를 사랑하기 때문에 그런 짓을 했다는 거 나도 알아요.

노라 그건 사실이에요.

헬메르 당신은 아내라면 당연히 그래야 하듯이 나를 사랑했어요. 다만 당신이 하는 일에 대해 제대로 된 판단을 내릴 수 있는 지식이 없었지. 설마 당신이 책임감 있는 행동이라는 것이 어떤 건지 모른다고 해서 내가 당신을 덜 사랑한다고 생각하는 거예요? 아니, 아니에요, 당신은 나에게 기대면 되요. 내가 가르쳐주고 안내해줄게요. 여자들의 속수무책 함을 보고 그 매력을 두 배로 느끼지 않는다면 난 남자도 아니겠지. 내가 처음에 한 말들은 너무 놀라서 그런 거니 맘에 두지 말아요. 이 모든 일이 나를 송두리째 집어 삼킬 것 같았으니까. 나는 당신을 이미 용서했어요, 노라. 맹세해요.

노라 용서해줘서 고마워요. (오른쪽 문으로 나간다.)

헬메르 아니, 가지 마요. (들여다본다.) 거기서 뭘 하려는 거예요?

노라 (안쪽에서) 이 화려한 의상은 이제 벗으려고요.

헬메르 (열려 있는 문 앞에 서서) 그래, 그렇게 해요. 진정하고 마음을 좀 가라앉히도록 해요, 겁에 질린 내 작은 종달새. 평안한 마음으로 좀 쉬어요. 내 넓은 날개가 당신의 피신처가 되어 줄 테니. (문 앞을 서성이며) 우리 집은 정말 아늑하고 따듯해요, 노라. 여기가 바로 당신의 휴식처지. 여기에서 독수리의 발톱에서 내가 구해낸 나의 비둘기를 내가 보호할게요. 내가 당신의 놀란 가슴에 평화를 가져다줄게요. 아주 조금씩, 조금씩, 좋아질 거예요, 노라, 나만 믿어요. 내일이면 모든 게 달라 보일 거예요. 곧 예전과 같이 돌아갈 거라고요. 아주 곧 당신 이제 더 이상 내가 당신을 용서한다는 걸 확인 받을 필요도 없어질 거라고. 내가 당신을 용서했다는 걸 확실히 알 테니까. 내가 이런 일로 당신을 책망하고 버릴 거라고 상상이나 할 수 있겠어요? 당신은 남자의 진심을 몰라요, 노라. 남자가 자신의 아내를 마음을 다해 용서한 후에는 설명할 수 없는 만족감과 달콤함이랄까 하는 것이 생기거든. 아내이면서 또 아이이기도 한 존재인거지. 새로운 삶을 줬다는 그런 기분 말이야. 부인은, 즉 그의 아내인 동시에 그의 사랑하는 아이란 말이야. 그러니 이제 당신은 두려움에 떨고 있는 가녀린 애인이야. 두려워하지 말아요, 노라. 이제부터는 나에게 솔직하게 모든 것을 털어놔요. 내가 당신의 양심이 되고 굳은 의지가 되어 줄게요. (노라, 평상복을 입고 나타난다.) 이게 뭐예요? 잘 준비하는 게 아니었어요? 옷을 갈아입었군요.

노라 네, 토르발트. 옷을 갈아입었어요.

헬메르 그런데 왜 지금? 이렇게 늦은 시간에요?

노라 오늘밤 나는 자지 않겠어요.

헬메르 하지만 여보 노라—

노라 (시계를 본다.) 그렇게 늦지는 않았어요. 앉으세요, 토르발트. 우리는 해야 할 얘기가 아주 많아요. (테이블

한쪽에 앉는다.)

헬메르 노라― 왜 그래요? 그 굳은 표정은―

노라 앉아요. 시간이 좀 걸릴 거예요. 할 얘기가 많아요.

헬메르 (그녀의 맞은편에 앉으며) 불안하게 왜 그래요, 노라. 이해가 가질 않는군요.

노라 맞아요, 정확하게 그거예요. 당신은 나를 이해하지 못해요. 그리고 나도 당신은 한 번도 제대로 이해 한 적이 없어요― 오늘 저녁까지는. 내 말 끊지 마세요. 내가 하는 말을 잘 들어보세요. 우린 청산을 하는 거예요, 토르발트.

헬메르 그게 무슨 뜻이죠?

노라 (잠시의 정적 후) 여기 우리가 이렇게 앉아 있는 게 이상하다는 생각이 안 들어요?

헬메르 뭐가요?

노라 우리가 결혼한 지 8년 됐어요. 우리들 둘이, 당신하고 나하고, 남편과 아내가 오늘 처음으로 진지한 대화를 나누고 있는 게 이상하지 않으세요?

헬메르 진지한 대화라니요?

노라 결혼생활 8년 동안― 아니 처음 만난 때부터 생각해보면 더 긴 시간동안― 우린 한 번도 심각한 문제에 대해 논의해본 적이 없어요.

헬메르 그럼 당신이 감당할 수조차 없는 걱정거리들에 대해

지속적으로 한도 끝도 없이 얘기했어야 한단 말이에요?

노라 당신 일에 관련된 얘기들을 말하는 게 아니에요. 우리는 그 무엇에 대해서도 솔직하게 마주 앉아서 깊은 논의를 해본 적이 없다는 말을 하는 거예요.

헬메르 하지만, 여보 노라, 그렇게 하는 게 당신한테 도움이 되었을 거라고 생각하는 거예요?

노라 바로 그게 문제에요. 당신은 날 이해하지 못해요. 당신은 나를 이해해본 적이 없어요. 나는 그동안 억압받아온 거예요, 토르발트. 첫 번째는 아버지 그리고 두 번째는 당신한테.

헬메르 뭐라고요? 우리 두 사람한테? 누구보다도 당신을 사랑해 왔던 우리들한테 말이에요?

노라 (고개를 흔들며) 두 사람은 나를 사랑한 적이 없어요. 나를 사랑한다는 생각이 두 사람을 즐겁게 했을 뿐이에요.

헬메르 노라, 당신 지금 무슨 말을 하는 거예요?

노라 사실이에요, 토르발트. 내가 아버지와 집에서 살았을 땐 아버지께서 모든 것에 대한 의견을 얘기해주셨고 그게 곧 내 의견이었어요. 내 생각이 아버지 생각과 다를 땐 난 그 사실을 숨겼죠. 아버지는 그런 걸 싫어했을 테니까요. 아버지는 나를 인형 같은 아이라고 불

렸고 내가 인형을 가지고 노는 것처럼 나와 놀아주셨어요. 그리고 당신과 살게 되어 이곳에 왔을 때—

헬메르 우리의 결혼생활을 어떻게 그런 말로 표현할 수가 있죠?

노라 (동요되지 않고) 내 말은, 난 그냥 아버지 손에서 당신 손으로 옮겨진 거란 말이에요. 당신은 당신 취향에 맞도록 모든 것을 준비했어요. 그래서 나도 같은 취향을 갖게 됐죠. 아니면 그런 척 하거나. 어느 쪽인지 나도 잘 모르겠지만요. 지금 돌이켜보면 나는 이곳에서 구걸을 하면서 살아온 것 같아요— 당신에게 재주를 부리는 대가로 하루하루 먹고 살았죠, 토르발트. 당신은 내가 그렇게 하길 바랐어요. 당신과 아버지는 저한테 큰 죄를 지은 거에요. 제가 지금까지 아무것도 이루지 못한 건 두 사람 때문이에요.

헬메르 당신은 지금 정말 비논리적이고 감사한 줄도 모르고 있어, 노라! 당신, 행복하지 않았단 말이에요?

노라 아니오, 한 번도 행복한 적 없었어요. 그렇다고 생각했었죠, 그런데 정말 행복했던 적은 없었어요.

헬메르 행복하지 않았다고!

노라 네, 그냥 즐거웠을 뿐이에요. 당신은 언제나 나에게 친절했어요. 하지만 우리 집은 그저 놀이터에 불과했죠. 아버지께 내가 인형 같은 아이였던 것처럼 난 당신의 아내 인형 같은 아내일 뿐이었어요. 그리고 아이들은 나의 인형이었죠. 당신이 나랑 놀아줄 때 난 즐거웠어요. 아이들이 내가 놀아주면 즐거워하는 것과 같은 거죠. 그게 지금까지 우리의 결혼생활이에요, 토르발트.

헬메르 과장되고 억지스럽지만 당신이 말이 어느 정도는 사실이라고 합시다. 하지만 앞으로는 달라질 거예요. 놀이시간은 이제 끝이고 수업시간이 시작된다고 합시다.

노라 누구의 수업이요? 내 수업이요 아니면 아이들?

헬메르 당신 그리고 아이들 모두를 위한 거죠, 노라.

노라 토르발트, 당신은 나를 완전한 아내로 교육할 수 있는 남자가 아녜요.

헬메르 당신은 그런 말을 할 자격이 있고?

노라 그리고 내가 어떻게 우리 아이들을 돌볼 수가 있겠어요?

헬메르 노라!

노라 당신이 조금 전에 그렇게 말하지 않았었나요? 나에게 아이들을 믿고 맡길 수가 없다고?

헬메르 화가 나서 한 말이에요! 왜 그런 말에 그렇게 집착하지?

노라 아녜요, 사실이에요, 당신 말이 맞아요. 난 자격이 없어요. 그 전에 먼저 해야 할 일이 있어요. 스스로를 교육시켜야 해요— 당신 도움은 필요 없어요. 반드시 혼자서 해야 해요. 그게 내가 지금 떠나는 이유에요.

헬메르 (벌떡 일어서며) 무슨 말이야?

노라 나에 대해 제대로 알고 이해를 하려면 홀로 서기를 해야 해요. 그렇기 때문에 당신과 함께 할 수가 없는 거예요.

헬메르 노라, 노라!

노라 지금 바로 집을 떠나겠어요. 크리스틴이 오늘 밤은 재워주겠지요.

헬메르 당신 지금 제정신이 아냐! 난 허락할 수 없어! 내가 금지 하겠어!

노라 이제 당신이 무엇을 금지하는 건 아무 소용없어요. 내 물건은 내가 챙겨갈게요. 당신 건 아무것도 가져가지 않아요, 지금도 나중에라도.

헬메르 이게 무슨 미친 짓이야!

노라 내일은 집으로 돌아가야겠어요. 옛날 집이요. 그 곳에서 할 수 있는 일을 찾아보는 게 가장 쉬울 거예요.

헬메르 당신은 한치 앞도 못 보는 바보 같은 여자야!

노라 현명해지도록 노력할게요, 토르발트.

헬메르 당신의 가정, 남편 그리고 아이들을 다 버리고! 사람들이 어떻게 이야기 할지 생각해봐!

노라 그런 걸 생각할 수가 없어요. 난 지금 내게 이게 가장 필요하다는 걸 알아요.

헬메르 당신은 당신의 가장 신성한 의무를 내팽개치는 거야.

노라 나의 가장 신성한 의무가 뭐죠?

헬메르 내가 말을 해줘야 안단 말이야? 당신의 남편과 아이들에 대한 의무 아냐?

노라 그만큼 신성한 다른 의무들도 있어요.

헬메르 그런 건 없어. 어떤 의무를 말하는 거지?

노라 내 자신에 대한 의무예요.

헬메르 무엇보다도 당신은 아내고 엄마야.

노라 난 더 이상 그렇게 생각하지 않아요. 무엇보다도 난 당신과 똑같은 인간이라는 걸 믿어요. 그렇게 때문에 난 그렇게 되도록 노력해야 해요. 나도 잘 알고 있어요, 토르발트, 많은 사람들이 그리고 책들이 그것이 옳다고 말한다는 걸. 하지만 더 이상은 그저 사람들이 하는 말이나 책에 쓰인 대로 살아가며 만족할 수는 없어요. 난 스스로 생각하고 이해해야만 해요.

헬메르 당신은 가정에서 당신의 위치를 이해 못하겠어? 이런 문제에 대해서 지켜야 하는 기본이 있지 않아? 종교는?

노라 토르발트, 난 종교가 뭔지 정확하게 모르겠어요.

헬메르 무슨 말을 하는 거야?

노라 견진성사를 받으러 갔을 때 목사님께서 말씀하신 것 외에는 모르겠어요. 목사님은 종교란 이렇고 저런 것이라 말씀하셨죠. 이곳에서 떠나서 혼자 있게 되면 그 때 한번 생각해 볼게요. 목사님이 말씀하신 것이 사실인지, 그게 나한테도 사실인지.

헬메르 당신처럼 젊은 여자가 이렇게 말하는 경우는 없어! 종교가 당신을 올바른 길로 이끌 수 없다면 내가 당신의 양심을 일깨워 줄게. 당신도 도덕적 기준은 있지 않아? 대답해 봐— 그것도 없어?

노라 그건 대답하기 쉬운 문제가 아니에요, 토르발트. 정말 모르겠어요. 저도 그게 혼란스러워요. 하지만 당신과 내가 이 문제를 다른 관점에서 바라보고 있다는 건 알아요. 그리고 법도 내가 생각하는 것과는 다르다는 것도 배웠어요. 하지만 법이 무조건 옳으니 따르는 게 맞다고 제 자신을 설득할 수가 없어요. 법률에 의하면 여자는 죽어가는 아버지를 보호하고 남편의 목숨을 살릴 권리가 없어요. 난 그걸 믿을 수가 없어요.

헬메르 당신은 지금 어린애같이 말하고 있어. 당신은 당신이 살고 있는 이 세상을 이해 못해.

노라 난 몰라요. 하지만 이제부터 해보려고요. 이세상이 옳은 건지 아니면 내가 옳은 건지 알아야겠어요.

헬메르 당신 지금 아파, 노라, 헛소리를 하고 있잖아. 당신 지금 제정신이 아니라고.

노라 지금처럼 이렇게 머리가 맑고 모든 게 확실했던 적은 없었어요.

헬메르 그래서 그 명확하고 맑은 머리로 남편과 아이들을 버는 거야?

노라 네, 그래요.

헬메르 그렇다면 가능한 설명은 한 가지밖에 없군.

노라 뭔데요?

헬메르 당신은 이제 더 이상 나를 사랑하지 않아.

노라 그래요, 당신이 맞아요.

헬메르 노라!– 어떻게 그런 말을 할 수 있어?

노라 저도 정말 가슴이 아파요, 토르발트. 당신은 언제나 나한테 친절했으니까요. 하지만 어쩔 수 없어요. 난 더 이상 당신을 사랑하지 않아요.

헬메르 (진정하려 애쓰며) 이것도 맑은 머리와 확신을 가지고 하는 말인 거야?

노라 네, 확실해요. 바로 그게 내가 더 이상 이곳에 머무르고 싶지 않은 이유에요.

헬메르 어떻게 나에 대한 사랑이 사라지게 됐는지 말해줄 수 있을까?

노라 네, 할 수 있어요. 오늘 밤 그 기적과도 같은 일이 일어나기 전에 난 당신이 내가 생각했던 그런 남자가 아니라는 것을 알았어요.

헬메르 좀 더 잘 얘기해 봐요. 이해할 수가 없어.

노라 난 지난 팔 년 동안 인내심을 가지고 기다렸어요. 기적이라는 것이 매일 일어나지는 않으니까요. 그런데 끔찍한 불행이 나에게 벌어졌죠. 그때 난 드디어 기적이 일어날 거라고 생각했어요. 크로그스타트의 편지가 우편함에 있었을 때, 난 당신이 절대 그 자의 제안을 받아들이지 않을 거라고 생각했어요. 난 당신이 "가서 세상 곳곳에 이 일을 알려!"라고 말할 거라고 확신했어요. 그리고 그자가 그렇게 하면—

헬메르 그래, 그리고 나선? 내 아내가 불명예로 망신을 겪고 나서는?

노라 나는 당신이 그런 후에 앞에 나서서 모든 죄를 혼자 떠안고, '내가 죄인입니다'하고 말할 거라 믿었어요.

헬메르 노라—!

노라 당신은 내가 당신의 그런 희생을 절대 받아들일 리가 없다고 생각하죠? 물론 그래요. 하지만 나의 반대와 저항이 당신의 의지 앞에서 무슨 의미가 있겠어요? 내가 그토록 기다리면서도 두려워했던 기적이라는 게 바로 그거였어요. 그리고 그런 당신의 희생을 막기 위해서 난 스스로 생명을 끊을 생각까지 했고요.

헬메르 난 당신을 위해서라면 기꺼이 밤낮을 가리지 않고 일할 거야. 어떠한 고통과 가난도 참을 수 있어. 하지만 사랑을 위해서 명예를 희생시키는 남자는 없어, 노라.

노라 수백 수천 명의 여자들은 그렇게 해왔어요.

헬메르 당신은 지금 철없는 어린애처럼 생각하고 말하고 있어.

노라 그럴지도 모르죠. 하지만 당신도 내가 의지할 수 있는 남자처럼 생각하거나 말하고 있지 않아요. 당신의 두려움이– 나에 대한 것은 아니었고– 당신에게 닥칠 수도 있는 일에 대한 걱정이 사라지자마자 당신은 아무 일도 없었다는 듯이 행동했어요. 나는 다시 작은 종달새가 되고 인형이 되었죠. 연약하고 깨지기 쉽기 때문에 더 잘 돌봐야 하는. (일어선다.) 토르발트, 난 모르는 남자와 지난 8년 동안 같이 살면서 그의 아이들을 셋이나 낳았다는 걸 깨달았어요. 생각만 해도 소름끼쳐요! 내 몸을 갈기갈기 찢어버리고 싶다고요.

헬메르 (슬프게) 그래, 그래. 우리 사이에 깊은 골이 생긴 거야– 부정해도 소용없지. 하지만 노라, 우리가 함께 채워나갈 수 있지 않을까?

노라 지금 내 상태로는 난 당신의 아내가 아니에요.

헬메르 내가 달라져 볼게.

노라 아마도요– 당신의 인형이 없어진다면.

헬메르 헤어지다니!– 당신하고 헤어지다니! 안 돼, 안 돼, 노라. 난 그 결정을 이해할 수가 없어.

노라 (오른쪽으로 나간다.) 그렇다면 더욱 더 이렇게 해야만

한다는 확신이 서네요. (노라, 코트와 모자 그리고 작은 가방을 들고 돌아온다. 가방을 테이블 옆의 의자 한쪽에 내려놓는다.)

헬메르 노라, 노라, 지금은 안 돼! 내일까지 기다려.

노라 (코트를 입으며) 낯선 남자의 집에서 하룻밤을 머무를 수는 없어요.

헬메르 남매처럼 함께 살 수는 없을까?

노라 (모자를 쓰며) 오래가지 않을 거라는 걸 알잖아요. (어깨에 숄을 두른다.) 안녕, 토르발트. 아이들은 보지 않겠어요. 아이들은 저보다 더 잘 돌봐줄 사람들이 있으니 걱정 안할게요. 지금 이 상태로는 아이들에게 아무 도움이 안돼요.

헬메르 그럼 언젠가는, 노라- 언젠가는?

노라 어떻게 알겠어요? 나도 내가 어떻게 될지 모르겠는걸요.

헬메르 하지만 당신이 무엇이 되더라도 당신은 내 아내야.

노라 잘 들어요, 토르발트. 지금 저처럼 아내가 남편을 떠나는 경우, 남편은 모든 법적 책임과 의무로부터 자유로워진다고 들었어요. 당신은 이제 자유에요. 조금도 나에게 구속되어 있다고 생각하지 마세요. 나도 안 그럴 거예요. 우리 두 사람 다 완벽하게 자유로워야 해요. 자, 여기 당신 반지 드릴게요. 내 것도 돌려주세요.

헬메르 반지까지?

노라 반지까지.

헬메르 여기.

노라 좋아요. 이제 다 끝났어요. 열쇠는 여기에 뒀어요. 하녀들이 집안일에 대한 건 나보다도 더 잘 알아요. 내일 내가 떠난 후에 크리스틴이 와서 남은 짐을 정리해서 보내 줄 거예요. 내가 결혼할 때 가지고 왔던 것들이요.

헬메르 다 끝났어! 다!— 노라, 내 생각은 정말 안 할 거야?

노라 자주 당신과 아이들 그리고 이 집 생각을 하겠죠.

헬메르 편지 써도 될까, 노라?

노라 아니오— 절대. 절대 안 돼요.

헬메르 그럼 적어도 내가—

노라 아무것도— 아무것도 하지 마세요—

헬메르 원하는 게 있으면 내가 도와줄게.

노라 아니오, 낯선 사람의 도움은 받고 싶지 않아요.

헬메르 노라— 언젠가는 당신에게 낯선 사람이 아닌 더 가까운 사람이 될 수 있을까?

노라 (가방들 집어 든다.) 토르발트, 기적 중에서도 최고의 기적이 일어나야 되겠죠.

헬메르 그게 뭔지 말해줘!

노라 당신과 나, 두 사람 모두 많이 달라져야 할 거예요 그래서- 오, 토르발트 난 이제 더 이상 기적 같은 일이 일어난다고 믿지 않아요.

헬메르 내가 믿을게. 말해줘! 달라지면 그러면-?

노라 우리가 함께 사는 게 진정한 결혼생활이 될 수 있겠죠. 잘 있어요. (복도를 거쳐 밖으로 나간다.)

헬메르 (손으로 얼굴을 가린 채 문 옆에 있는 의자에 앉아 웅크리고 있다.) 노라! 노라! (주위를 둘러보고 일어선다.) 없어. 가버렸어. (희망적인 생각이 떠오른 듯) 최고의 기적-?

(아래층에서 문 닫히는 소리가 들린다)

끝.

참고문헌

1) Anton Chekhov (Bloom's Major Dramatists), Harold Bloom, 1999, Chelsea House Pub
2) The Cherry Orchard, Anton Checkhov, translated by Tom Stoppard, 2012, Samuel French, Inc
3) Eugene O'Neill: A Life in Four Acts, Robert M. Dowling, 2016, Yale University Press
4) Long Days Journey into Night, Eugene O'Neill, 1962, Yale University Press
5) 『보이체크』, 『당통의 죽음』, 게오르그 뷔히너, 홍성광 역, 2013, 민음사
6) Georg Büchner's Woyzeck: A History of Its Criticism, David Richards, 2001, Camden House
7) The Crucible: A Play in Four Acts, Arthur Miller, Christopher W. E. Bigsby (Introduction), 2003, Penguin Classics
8) Arthur Miller's The Crucible (Bloom's Modern Critical Interpretations), Harold Bloom, 2008, Chelsea House Publications.
9) Miss Julie and Other Plays (Oxford World's Classics) 1st Edition, August Strindberg, translated by Michael Robinson, 2009, Oxford University Press.
10) Stella Adler on Ibsen, Strindberg, and Chekhov, Stella Adler (Author), Barry Paris (Editor), 2000, Random House, Inc.
11) The Arden Shakespeare Complete Works, Revised Edition, Edited by Richard Proudfoot, Ann Thompson amd Davod Scott Kastan, Consultant Editor Harold Jenkins, 번역 이은지.
12) "The 12 Common Archetypes," by Carl Golden on Carl Jung & Joseph Campbell, http://professordeannaheikkinen.weebly.com/uploads/1/6/8/5/16856420/archetypes_complete.pdf
13) Ibsen: *A Doll's House* by Egil Törnqvist, Cambridge University Press, 1995
14) Stella Adler on Ibsen, Strindberg, and Chekhov, Stella Adler (Author), Barry Paris (Editor), 2000, Random House, Inc.

15) *A Doll's House* by Henrik Ibsen, Penguin Books, 1992, English translation by Rolf Fjelde, 한국어 번역 이은지.

16) *A Doll's House* by Henrik Ibsen, Penguin Books, 1992, English translation by Rolf Fjelde, 한국어 번역 이은지.

이은지
서울예술대학교 공연학부 연기전공 교수
Actors' Studio Drama School at The New School University - M.F.A in Acting
City University of New York, Brooklyn College - B.F.A in Acting
서울예술대학교 연극과 졸업
뉴욕, 극단 Blessed Unrest 소속연기자
The South Wing & Knife, Inc 협력연기단원
미국, 연극 연기자 협회 회원(Actors Equity Association)

연기자의 워크북 Actor's Workbook

초판 1쇄 발행일 2021년 12월 29일
이은지 지음

발 행 인 이성모
발 행 처 도서출판 동인
주 소 서울시 종로구 혜화로3길 5 118호
등 록 제1-1599호
전 화 (02) 765-7145, 7155
팩 스 (02) 765-7165
이 메 일 dongin60@chol.com
홈페이지 www.donginbook.co.kr
I S B N 978-89-5506-854-2
정 가 16,000원